Les Plaines
à l'envers

DU MÊME AUTEUR

Agénor, Agénor, Agénor et Agénor, roman, Quinze, 1981.
La Tribu, roman, Libre Expression, 1981.
Courir à Montréal et en banlieue, Libre Expression, 1982.
Ville-Dieu, roman, Libre Expression, 1982.
Aaa, Aâh, Ha ou les Amours malaisées, roman, L'Hexagone, 1986.
Nulle part au Texas, roman, Libre Expression, 1989.

FRANÇOIS BARCELO

Les Plaines à l'envers

le 26 octobre 1997

A Micheline Lachance,
en souvenir d'une belle
rencontre

Libre Expression

Données de catalogage avant publication (Canada)

Barcelo, François, 1941-
    Les plaines à l'envers
    ISBN 2-89111-392-6
    I. Titre.

PS8553.A72P52 1989   C843'.54   C89-096454-8
PS9553.A72P52 1989
PQ3919.2.B37P52 1989

Maquette de la couverture : France Lafond

Illustration de la couverture : Stefan Anastasiu

Photocomposition et mise en pages : Imprimerie Gagné Ltée

© Éditions Libre Expression, 1989

Dépôt légal :
4e trimestre 1989
ISBN 2-89111-392-6

À mon père, pour qui j'aurais aimé terminer ce livre à temps.

Un 13 septembre

C'était la nuit la moins chaude depuis plus d'une semaine. Et les hommes dormaient paisiblement.

Sasseville, dans le coin où on l'avait relégué parce qu'il ronflait, était moins bruyant que d'ordinaire. McAndrew s'agitait, secoué par ses rêves. Dubois geignait parfois, par habitude sans doute, puisqu'il se plaignait toujours, le jour.

Graduellement, Sasseville sembla cesser de ronfler. Mais ce n'était pas le cas. Un observateur éveillé aurait pu reconnaître que c'était un autre ronflement, plus fort, qui couvrait celui du soldat.

Leduc fut le premier à s'éveiller totalement. Il ouvrit les yeux dans l'obscurité, croyant qu'il s'agissait d'avions. Il tâta ses draps, se demandant où il était. Cela lui revint : à Chypre, depuis dix jours seulement, dans le dortoir d'une vieille caserne.

Mais quel était ce grondement de moteurs ? Une voix, à sa gauche, chuchota :

— Qu'est-ce que c'est ?

Tout le monde était éveillé maintenant, se dressait dans son lit. Quelqu'un ouvrit la lumière.

— C'est des blindés, fit la même voix.

Plusieurs soldats, en sous-vêtements, se précipitèrent aux fenêtres. Dans la cour intérieure, au centre des baraquements, trois blindés entrèrent, se rangèrent le long du mur d'en face. Les tourelles pivotèrent et pointèrent leurs canons vers les fenêtres de l'étage où se tenaient les soldats.

Des officiers canadiens — ou des gens en uniforme d'officier canadien — sortirent des blindés, sautèrent au sol. L'un

9

d'eux se dirigea vers la caserne. En quelques pas, il était au dortoir des nouveaux arrivés.

— Tous dans la cour, ordonna-t-il en anglais.

Les soldats se précipitèrent sur leurs vêtements.

— Tout nus, précisa l'officier.

Quelques soldats hésitèrent, le regardèrent. D'autres, qui comprenaient mal l'anglais, continuaient de s'habiller. L'officier s'approcha de l'un d'eux, dont il pointa le pantalon avec le bout de sa badine.

— J'ai dit «tout nu», répéta-t-il en anglais.

— Il a dit «tout nu», traduisit Sasseville.

Les soldats enlevèrent ce qu'il leur restait de vêtements.

— Plus vite, ordonna l'officier.

Les soldats dégringolèrent l'escalier. Dans la cour, certains se couvrirent le sexe à deux mains. D'autres, crâneurs ou trop terrorisés pour se préoccuper de pudeur, ne firent aucun effort pour le cacher.

On les fit s'aligner devant le mur de brique, face aux blindés. Au sol, une mitrailleuse sur trépied, servie par un officier à l'air décidé, était pointée dans la direction des soldats, qui frissonnaient, de peur plus que de froid.

— Qu'est-ce qu'ils nous veulent ? demanda Cartier à Sasseville.

— Fouille-moi, dit Sasseville.

Ils eurent un rire nerveux en songeant qu'il aurait été bien difficile de fouiller Sasseville en cette tenue.

— Silence ! cria l'officier, qui les avait suivis. Demi-tour.

Les soldats obéirent et se collèrent le nez au mur.

— Le premier qui se retourne a une rafale dans la nuque, continua l'officier. Traduisez, ajouta-t-il à l'intention de Sasseville.

— Si on se retourne, on est mort, traduisit Sasseville.

Il y eut des bruits, difficiles à identifier. Peut-être des caisses de munitions qu'on déplaçait. Puis ce qui ressembla à un coup de feu, mais en beaucoup moins fort.

Sasseville, le premier, se retourna. Devant lui, huit officiers se versaient de grands verres de vin mousseux.

— Vous pouvez vous retourner, dit-il à ses compagnons.

Un officier avisa les soldats nus, qui les regardaient avec stupéfaction. Il tira la manche de l'officier le plus près de lui.

— Mes chers amis, dit celui-ci en français avec un accent qu'il semblait exagérer avec plaisir, savez-vous quel jour nous sommes aujourd'hui ?

Personne ne répondit.

— Le douze ? hasarda Sasseville après un long moment.

— Non. Depuis minuit, nous sommes le treize septembre. Et nous sommes enchantés de fêter en votre présence l'anniversaire de la victoire des plaines d'Abraham.

Les soldats se mirent à rire. Sasseville fit un pas en avant, la main tendue.

— Le champagne est réservé aux vainqueurs, dit l'officier. Les perdants restent debout tout nus. C'est la loi de la guerre.

Il avait dit cela avec tant de conviction que les soldats restèrent debout tout nus jusqu'à ce que la dernière bouteille de mousseux ait été vidée. Alors seulement, les officiers remontèrent dans leurs blindés et repartirent dans la nuit. Et les soldats, toujours nus, remontèrent au dortoir.

Dans la nuit, lorsque le bruit des blindés se fut suffisamment éloigné, on entendit un soldat pleurer. Mais il était impossible de savoir qui c'était.

Le 9 mars

*I*l y avait deux choses que Noël Robert détestait de son métier de rédacteur spécialisé en relations publiques : d'abord le métier lui-même et en particulier son manque de profondeur, qui, il était le premier à le reconnaître, s'accordait bien avec son propre caractère mais renforçait justement sa conviction de n'être qu'un tout petit homme ; et aussi l'obligation de rencontrer des clients, ces gens qui le faisaient vivre mais avec lesquels il ne voulait se sentir aucune affinité.

Ce matin-là, son patron Ray Blanchette l'avait justement envoyé rencontrer Rodolphe Marquart, directeur technique de la société Ruix Canada, au siège de ladite société pour l'est du pays. Noël Robert avait ainsi tout appris sur une innovation technique révolutionnaire, destinée à garder aux bouchons de liège leur texture lisse et leur belle couleur dorée même après des années dans le goulot d'une bouteille de vin rouge.

Il devait rédiger en toute hâte une série de communiqués annonçant aux spécialistes de l'embouteillage du vin cette nouvelle stupéfiante. Et les terminer avant le départ de la dernière secrétaire de façon à les faire télécopier au siège international de la Ruix, à Zurich, pour obtenir l'approbation de ces gens particulièrement méticuleux qui mettraient deux semaines ou deux mois à corriger des textes qu'il devait écrire en quelques heures.

Il était donc de fort mauvaise humeur lorsqu'il monta dans sa jeep garée rue Sherbrooke. Une contravention l'attendait sous un essuie-glace, pour le punir de ne pas avoir eu toutes les pièces de monnaie exigées par la voracité du parcomètre.

Sa mauvaise humeur monta encore d'un cran lorsqu'il constata que la voiture garée devant lui s'était collée contre le pare-chocs de la jeep. Il fit marche arrière sans ménager la boîte de vitesses et remit en marche avant tout aussi brusquement.

Il eut soudain l'impression d'être suivi. Il jeta un coup d'oeil au rétroviseur. En effet, une Volkswagen — une vieille Coccinelle comme on n'en voyait plus — le suivait de très près. Il donna un coup d'accélérateur pour la semer. Un nouveau coup d'oeil au rétroviseur lui permit de constater que la Coccinelle suivait toujours d'aussi près. Un troisième coup d'oeil lui fit remarquer qu'elle n'avait pas de conducteur.

Il freina aussitôt, descendit, alla voir de plus près le pare-chocs de la Coccinelle accroché à la boule de fixation de sa caravane.

— Pas possible ! s'exclama-t-il à haute voix.

En s'appuyant d'un pied sur le pare-chocs de la jeep et en tirant à deux mains sur celui de la Coccinelle, il eut tôt fait de séparer les voitures. Que faire de la Coccinelle ? Il n'avait d'autre choix que de la laisser là, garée en double file. Il regarda autour de lui : pas de policier en vue. Du trottoir, un vieil homme le fixait toutefois avec réprobation.

Noël Robert lui adressa un sourire poli en adoptant l'allure d'un citoyen responsable et désolé. Il prit un stylo dans la poche intérieure de sa veste, fouilla dans les poches de son manteau à la recherche d'un bout de papier.

— Vous avez besoin de papier ? offrit le vieillard en anglais tout en tirant un carnet d'une poche intérieure.

— Merci, dit Noël Robert en prenant la page de carnet qu'il lui tendait.

Il dégagea de la main la lunette arrière de la jeep et s'y appuya pour inscrire les mots : «Désolé. Je n'ai pas fait exprès.»

Comme le vieillard observait ce qu'il écrivait, il ajouta : «Je paierai votre contravention. Claude Dubois, 654-9876», avant de glisser le feuillet sous le pare-brise de la Coccinelle.

— Voilà, dit-il à l'intention du vieillard, qui sembla parfaitement rassuré.

Il monta dans la jeep et repartit vers les bureaux de Blanchette et Woodsman.

***

Deux ou trois fois par mois — jamais plus de quatre ou cinq —, Noël Robert s'enivrait.

Souvent de la même manière, et probablement pour les mêmes raisons, même si celles-ci lui échappaient totalement.

Il y avait une constante, en tout cas, qui ne pouvait lui échapper : il ne restait en ville pour boire un coup que lorsque sa femme députée était à Québec. Et il trouvait ironique que son éthylisme dépendît directement de l'activité démocratique québécoise.

Ce jour-là, l'obligation de rédiger des communiqués au sujet d'un procédé pour protéger le liège des bouteilles de vin avait-elle aussi contribué, plus ou moins subliminalement, à lui donner soif ?

Toujours est-il qu'il alla boire deux ou trois verres (peut-être quatre ou cinq, mais sûrement pas plus de six ou sept) dans un café de la rue Saint-Denis. Vers dix heures, il se convainquit qu'il devait manger s'il voulait éviter d'être malade et il invita une jeune femme, assise à la table voisine, à l'accompagner. Elle accepta.

Au restaurant, il but encore deux apéritifs parfaitement superflus et au moins la moitié d'une bouteille de vin. Il trouva dans son portefeuille un joint sec et aplati, le partagea avec sa convive à la place du dessert. Et il termina la soirée sur deux cognacs doubles.

La jeune femme s'appelait Marilyn et parlait français avec un fort accent qui pouvait laisser supposer qu'elle était plus à l'aise en anglais. Mais Noël Robert fit semblant de ne pas s'en rendre compte et lui expliqua en français qu'il exerçait sans talent particulier un des métiers les plus stupides qui fussent sur la planète. Cela n'empêcha pas son interlocutrice de lui demander s'il ne connaissait pas par hasard une agence de relations publiques qui était à la recherche de mannequins. Il s'avoua fort étonné qu'elle fût mannequin. Pour se venger peut-être, elle parut à son tour encore plus incrédule lorsqu'il lui annonça qu'il avait été écrivain, même s'il lui jura, pour plus de crédibilité, que son seul et unique roman s'était vendu à cent trente-six exemplaires et avait fortement contribué à la faillite de la maison d'édition qui l'avait publié.

Après avoir avalé un dernier cognac, Noël Robert jura à son interlocutrice, qui ne lui posait pourtant aucune question à ce sujet, qu'il avait toujours été incapable d'avoir une érection soutenue lorsqu'il y avait une Anglaise dans la même pièce que lui — phénomène qui était rigoureusement exact mais qu'il n'avait constaté que deux fois, alors qu'il était dans un état d'ébriété très avancé.

La jeune femme parut tout à fait offusquée de cette révélation et disparut au moment où il demandait l'addition.

Noël Robert sortit enfin du restaurant, avec la double satisfaction d'avoir séduit une jeune femme et repoussé une Anglaise. Il n'eut pas de mal à retrouver sa jeep, qui semblait abandonnée au milieu d'un grand parking désert. Il s'installa au volant.

La neige s'était remise à tomber — une neige mouillée de printemps. Elle fondait à mesure et la chaussée n'était plus assez glissante pour justifier l'engagement des quatre roues motrices.

Il se dirigeait vers le pont Jacques-Cartier par la rue Ontario déserte lorsqu'il remarqua qu'une voiture le suivait de très près. Il accéléra un peu. La voiture colla à son pare-chocs. Il se retourna pour s'assurer qu'il ne traînait pas toujours la même Coccinelle ou que ce n'en était pas une nouvelle. C'était plutôt une grosse voiture américaine tout à fait banale, qui le laissa prendre un peu d'avance, pour se rapprocher dès qu'il tourna de nouveau la tête vers l'avant. Sur le pont, il tenta de la semer. En vain. Distrait par cette poursuite, il fit une fausse manœuvre et évita de justesse une voiture qui venait en sens inverse. L'autre suivait toujours. Il accéléra à fond. Impossible de s'en débarrasser.

À Longueuil, il décida de quitter la voie rapide, histoire de voir si on s'obstinerait à le suivre. Dans le rétroviseur, les phares de l'autre voiture étaient toujours là, quoique moins près. Il entendit des sirènes lointaines — ambulance ou police ? Quelques intersections plus loin, il prit à gauche avec l'intention d'aller reprendre l'autoroute. La chaussée était enneigée et glissante. Il ralentit prudemment.

Tout à coup, à sa gauche, surgit une voiture de police roulant à la même hauteur. Il stoppa, mais la voiture de police fit de même, ce qui l'empêchait d'ouvrir sa porte. Il avança encore de la longueur d'une voiture, regarda à gauche pour voir si la voiture de police était toujours là. Elle s'était arrêtée un peu plus loin, de l'autre côté de la rue. Un policier était penché derrière le capot et pointait un revolver vers lui. Instinctivement, Noël Robert leva les mains, même s'il lui semblait impossible qu'on pût le viser, lui. Il y avait sûrement une erreur.

La portière s'ouvrit, et il descendit de la jeep sans baisser les bras. Des mains s'emparèrent de lui. Il reçut des coups de poing au visage, au ventre, puis au visage encore. Une canine lui sauta hors de la bouche. Il se pencha pour la ramasser, la trouva à tâtons dans la neige, mais un coup de genou sur le nez lui renvoya la tête en arrière. Les mains le relevèrent, le poussèrent sur le capot de la jeep. Il eut tout juste le temps de glisser la dent dans une poche de son manteau.

Sans doute avait-il déjà dit ou crié quelque chose sans s'en rendre compte, mais cette fois il hurla, tout à fait consciemment :

— C'est une erreur.

Il chercha dans son cerveau inhibé par l'alcool un argument susceptible de prouver hors de tout doute qu'il n'était pas le bandit de grand chemin qu'ils devaient rechercher. Il eut envie de dire que sa femme était députée. Mais il hésita et ne trouva rien de mieux à dire que :

— Je suis marié !

Une voix derrière lui répliqua :

— Le gars avec un petit que tu as failli sacrer dans le fleuve, sur le pont, tu penses qu'il était pas marié, lui ?

On lui passa des menottes et on le fit tourner encore sur lui-même. Il aperçut alors pour la première fois une bonne demi-douzaine de voitures de la police de Longueuil, leurs gyrophares multicolores clignotant dans la nuit comme une exposition de sapins de Noël. Derrière la jeep, il y avait une voiture banalisée, celle qui l'avait suivi depuis Montréal. Autour de lui, des policiers en uniforme. Tout près de lui, deux hommes en civil qui le maintenaient par les revers de son manteau.

Ils le poussèrent dans la voiture banalisée.

Pendant qu'ils se rendaient à un poste de la Sûreté du Québec, Noël Robert commença à se dégriser et à comprendre ce qui lui arrivait. Les deux hommes sur la banquette avant plaisantaient, parlaient de choses et d'autres, tandis que lui, les mains serrées par les menottes derrière son dos, explorait du bout de la langue l'espace libéré par la dent tombée. Il aurait aimé pouvoir détacher une de ses mains pour s'assurer que la dent était toujours bel et bien dans sa poche.

Au poste, on lui enleva les menottes et on le fit souffler dans un tube. On le fit marcher sur une ligne droite tracée au sol. On lui demanda de ramasser des pièces de monnaie jetées par terre. Il fit tout cela docilement, en affectant la plus parfaite indifférence, même s'il avait de plus en plus mal à la poitrine et au visage.

On lui passa de nouveau les menottes et on l'entraîna dans le bureau d'un officier ventripotent, qui le regarda d'un air méprisant et lui demanda son nom, son âge, son adresse.

— Tu as l'air fin, hein, là ? dit encore l'officier en hochant la tête.

— Vous, vous avez l'air d'un maudit chien sale, dit Noël Robert.

Qu'est-ce qui lui avait pris ? Les mots s'étaient échappés de sa bouche, comme si quelqu'un d'autre avait parlé par elle. Mais aussitôt qu'il les eut dits, il en fut fier.

— Répète donc ça, pour voir…

— Vous êtes rien qu'un maudit chien sale, répéta gentiment Noël Robert.

L'officier se leva, fit le tour de son pupitre et décocha un coup de poing sur l'arcade sourcilière gauche de Noël Robert. Il retourna s'asseoir.

— C'est vrai, reprit Noël Robert dès qu'il fut rassis, que j'ai jamais vu un chien sale comme ça.

L'officier soupira, se releva, refit le tour du pupitre et atteignit Noël Robert d'un solide direct à la pommette droite. Il reprit encore sa place.

Noël Robert poussa lui aussi un profond soupir, hocha la tête avec tristesse. Il commençait à prendre plaisir à ce jeu.

— Un maudit chien sale.

L'officier regarda l'un après l'autre les deux policiers en civil qui étaient assis de chaque côté de Noël Robert. Il haussa les épaules comme pour signifier : «Qu'est-ce que vous voulez que je fasse ?»

Cette fois, il lança deux coups de poing — un de chaque côté du visage — qui firent si mal à Noël Robert qu'il ne put sentir exactement où il était touché.

L'officier retourna à sa place sans se rasseoir, regarda Noël Robert comme on examine un poisson pourri. Il attendit, en se frottant le poing droit. Noël Robert soutint son regard mais se convainquit qu'il valait mieux se taire.

— Bon, dit enfin l'officier en se rasseyant.

Noël Robert ouvrit la bouche, faillit parler mais resta coi.

***

Les deux policiers en civil le conduisirent au poste central de la police de Montréal, où on prit ses empreintes digitales et où on lui retira tous ses effets personnels, avant de le pousser dans la cellule commune où quelques ivrognes dormaient sur des banquettes.

Près des barreaux, un panonceau identifiait un téléphone comme celui de l'assistance judiciaire. Noël Robert souleva le combiné, le porta à sa bouche.

— Allô ? fit une voix de femme.

Il essaya de dire quelque chose mais seul un grognement imprécis sortit de sa bouche.

— Assistance judiciaire. Vous avez besoin d'aide ?

— Laissez faire, tenta-t-il de dire avant de remettre le combiné à sa place.

Il n'arrivait plus à articuler. Les sons qui sortaient de sa bouche ressemblaient à la fois à un grognement d'animal et à un sanglot d'enfant.

Lorsqu'il comparut devant le juge, au matin, avec les ivrognes, les vagabonds et les prostitués des deux sexes arrêtés depuis la veille, Noël Robert reconnut France dans la salle. Elle lui sourit. De loin, il lui était difficile de savoir si c'était gentiment ou sévèrement.

Lui avait-il téléphoné lui-même ? Il ne s'en souvenait pas. Peut-être avait-elle été prévenue par la police ou un journaliste.

Il se déclara non coupable et la date de son procès fut fixée au 6 avril.

***

Dans la voiture, Noël ne dit pas un mot. Il espérait que France ferait de même. Ou, du moins, qu'elle serait brève.

Il commença à respirer lorsqu'ils approchèrent de Saint-Denis. Ils seraient à la maison dans quelques instants. Lorsqu'elle avait des reproches à lui faire, France les formulait généralement en voiture, pour éviter de le regarder dans les yeux. Peut-être était-elle aujourd'hui suffisamment furieuse ou suffisamment indifférente pour ne rien dire ? Mais ce fut justement ce moment-là qu'elle choisit pour parler.

— Les journaux ne parleront pas de toi. Tu vas plaider coupable. Et tu ne poursuivras pas les policiers qui t'ont battu.

— Si tu le dis.

— Je paierai ton amende et tes frais d'avocat.

— Merci.

À cet instant précis, ils arrivèrent à l'entrée du garage, comme si France avait chronométré d'avance la conversation pour qu'elle prît fin à cet endroit et pas ailleurs.

***

Rentré à la maison, Noël Robert se regarda furtivement dans le miroir de la salle de bains et ne reconnut pas tout de suite son visage tuméfié. Il se détourna de cette image et attendit dans le couloir que France lui ait fait couler un bain.

— Veux-tu que je dise à Blanchette que tu vas être absent pour quelques jours ?

— Lui as-tu parlé ce matin ?

— Je lui ai seulement dit que tu n'irais pas travailler.

— Invente quelque chose. N'importe quoi. Pour une semaine.

Après le bain, il dormit jusqu'à midi. France le traîna alors chez un médecin qui lui fit passer des rayons X et diagnostiqua une côte fêlée qui n'exigeait aucun traitement. Puis elle partit, sans doute pour l'une des nombreuses réunions dont elle se plaignait constamment mais auxquelles elle participait assidûment.

Il fut incapable de souper, même s'il n'avait rien mangé depuis la veille. Il s'installa devant la télévision sans s'y intéresser, puis retourna se coucher. Il ne dormit pas tout de suite et s'efforça de ne réfléchir à rien. Mais cela ne l'empêcha pas de se dire que sa vie était arrivée au commencement de sa fin.

M ême s'il était éveillé depuis deux bonnes heures, Noël Robert attendit que France sortît de la chambre pour ouvrir les yeux. Il ne se leva que lorsqu'il entendit la voiture s'éloigner.

Dans la salle de bains, il osa enfin se regarder longuement dans la glace, avec autant d'indifférence que si ce visage ne lui avait pas appartenu. Trois grandes ecchymoses, rouge et bleu, dominaient. La plus grande couvrait l'arcade sourcilière gauche et une bonne partie de la joue. La plus petite, au front, entourait une coupure masquée par un pansement adhésif blanc, déjà sale. Une autre ecchymose, de la bouche jusqu'à l'oreille droite, complétait son nouveau portrait.

Après cet examen, il retourna dans la chambre, s'habilla, monta à son bureau devenu un vaste débarras encombré de tout ce que France ne voulait voir nulle part ailleurs dans la maison.

À travers la grande fenêtre à carreaux, il observa la rivière. Parfois, au début du printemps, elle dégelait brusquement et passait de la glace à l'eau courante en une seule nuit ; ou bien, comme cette année, la surface devenait d'abord glauque et grisâtre sous le soleil éclatant du matin, avant de se morceler et de s'éloigner doucement dans le courant.

Il descendit à la cuisine, trouva sous l'évier une caisse de bière. La boîte semblait légère. Il manquait quatre bouteilles vides pour compléter la douzaine. Il ouvrit le réfrigérateur, y prit quatre bouteilles pleines, les plaça dans les cases vides. Il mit son manteau et sortit sans couvre-chaussures, caisse de bière sous le bras.

La neige pénétra dans ses souliers et lui mouilla les pieds tandis qu'il marchait vers la rive. Il tomba sur le dos en descendant l'escarpement. Il se releva péniblement, reprit sa caisse de bière et entreprit d'avancer sur la glace détrempée en traînant les pieds pour mieux garder son équilibre.

Au milieu de la rivière, il s'arrêta, vérifia qu'il était à égale distance des maisons des deux rives et posa la boîte sur la glace. Il s'assit dessus, le dos tourné à la rive sud.

Rien ne l'assurait que la glace céderait ce jour-là. Mais il préférait attendre la mort sans être tout à fait sûr qu'elle viendrait.

La boîte ne formait pas un siège confortable. Trop basse, elle l'obligeait à redresser le dos, ce qui réveillait sa douleur au côté. Et sa surface, de plus en plus inégale à mesure que le carton absorbait l'humidité de la neige collée à son manteau, ne serait pas supportable très longtemps.

Après une demi-heure seulement, il commença à douter de son entreprise. Et il essaya de retracer la chronologie des événements de l'avant-veille.

Mais il n'y parvint qu'après avoir bu deux bouteilles de bière, qu'il ouvrit en coinçant les capsules l'une contre l'autre, technique qu'il maîtrisait pourtant mal habituellement.

Vers onze heures, le soleil se cacha derrière des nuages et un petit vent froid se mit à souffler. Il était de plus en plus évident que la rivière ne dégèlerait pas.

Il se leva. Pour se réchauffer, il enfouit les mains dans les poches de son manteau. Il froissa la contravention et la lança en l'air. Elle tomba sur la glace avant d'être emportée par le vent.

Ses doigts heurtèrent ensuite un petit objet dur : une dent brisée. Il tenta de la replacer dans sa gencive. C'était bien la sienne. En la remettant dans sa poche, il trouva encore un bout de papier, avec un numéro de téléphone.

«Marilyn», se dit-il au moment où il allait laisser le vent le lui arracher. Il se ravisa, remit le papier dans sa poche, se rassit.

Il resta là encore une demi-heure. Le vent était de plus en plus froid, et les flaques d'eau à la surface de la glace recommençaient à durcir.

Il alla se réchauffer quelques instants à la maison, avec l'intention de retourner tout à l'heure, dès que le vent serait tombé, que le soleil réapparaîtrait et que la glace recommencerait à fondre. En ôtant son manteau dans la cuisine, il ne put s'empêcher de relire le numéro de Marilyn.

Pourquoi ne pas l'appeler, histoire de s'excuser, et peut-être aussi de lui donner rendez-vous dans une semaine ou deux, dès que les ecchymoses seraient effacées de son visage ?

Il hésita quelques minutes. Lui raconterait-il son histoire, au téléphone ? Oui. Il ne l'avait dite à personne. France ne l'avait pas interrogé. Sans doute la police lui avait-elle tout raconté, à sa manière. Mais il avait envie de confier à quelqu'un qu'il avait eu mal et peur, et qu'il avait maintenant encore mal et toujours peur. Peut-être lui conterait-il ces moments de terreur lorsque les policiers l'avaient battu, dans la rue, sans qu'il comprenne bien pourquoi. Il serait plus facile de parler de la deuxième fois, lorsqu'on l'avait frappé froidement alors qu'il ne demandait que cela et qu'il n'avait plus peur de rien ni de personne.

Il composa le numéro. Une voix de femme répondit.

— Les Productions Roch Marcoux.

— Marilyn, s'il vous plaît.

— Il n'y a pas de Marilyn ici. Vous avez le mauvais numéro.

— C'est bien le 998-9607 ?

— Oui. Mais il n'y a pas de Marilyn. C'est les Productions Roch Marcoux.

Noël Robert se souvint tout à coup : en voiture, France lui avait parlé de l'appel d'un producteur de cinéma. Il regarda le bout de papier : c'était bien son écriture.

— Excusez-moi, j'étais distrait. Je voudrais parler à monsieur Marcoux.

— Qui puis-je annoncer ?

— Noël Robert. Il m'a demandé de le rappeler.

— Un instant.

Après un instant, une voix joviale se fit entendre.

— Comment ça va, monsieur Robert ?

— Pas mal, merci.

— J'aurais besoin de vous pour un scénario. On prépare une superproduction sur la bataille des plaines d'Abraham. Et j'ai besoin de deux bons scénaristes. En anglais, j'ai déjà Alice Knoll, la romancière. Vous connaissez ?

— Oui, bien sûr. Je veux dire que je la connais de réputation.

— Et j'ai pensé à toi, parce qu'on veut une équipe de scénaristes impartiale.

Noël Robert s'étonna de la rapidité avec laquelle Roch Marcoux passait du «monsieur Robert» au tutoiement. Il n'osa pas non plus demander ce qu'était une équipe de scénaristes impartiale, même s'il n'avait aucune idée de ce que cela pouvait signifier.

— Pourquoi moi ?

— Faut que je te dise que je voulais Jacques Gadbois, mais il est trop pris. C'est lui qui m'a donné ton nom. Il m'a dit que tu es un écrivain très capable.

— Mais je n'ai jamais travaillé pour le cinéma.

— C'est pas grave.

— Je ne sais pas...

— Écoute, je paye vingt-cinq mille dollars d'avance. Puis vingt-cinq mille quand le scénario sera accepté. Ça te va ?

— Je ne m'attendais pas du tout à ça. Je peux y réfléchir ?

— Si tu es capable de penser vite. Je donne une conférence de presse à Québec dans trois semaines. J'aimerais annoncer que tu vas faire le scénario avec Alice Knoll.

— Je vous rappelle demain.

— Ça sera parfait.

***

Sans plus attendre, Noël Robert téléphona à Ray Blanchette.

— Comment ça va ?

— Pas trop mal.

— France m'a raconté. C'est dommage, un accident comme ça. Mais les accidents, c'est toujours idiot.

Noël Robert avait oublié de demander à sa femme quelle histoire elle avait racontée à son patron. Il changea de sujet.

— Écoutez, ce serait possible d'avoir un congé sans solde ?

— Combien de temps ?

— Un an.

— Un an ?

— On m'a demandé d'écrire le scénario d'un film. Une grosse production, paraît-il. C'est Roch Marcoux qui est le producteur.

— Ça va te prendre un an ?

— Je ne sais pas. Mais je suppose que ça doit être à peu près ça.

— À compter de quand ?

— D'hier.

Ray Blanchette eut un rire bref.

— Bon, je suppose qu'on peut pas faire autrement. Je te souhaite bonne chance, mon cher Noël. Soit dit en passant, j'ai lu les communiqués de Ruix. C'était très bien.

— Merci.

Noël Robert rappela sans plus tarder Roch Marcoux pour lui dire qu'il était d'accord.

Il se sentait enfin en appétit et glissa au four à micro-ondes un plat surgelé. Il fallait remercier Jacques Gadbois. Aussi bien le faire tout de suite, avant d'oublier. Il monta à son ancien bureau, trouva dans un tiroir un vieil exemplaire de l'annuaire de l'Union des Écrivains québécois. Le nom de Gadbois y figurait, avec deux numéros de téléphone. Le second était probablement celui de son bureau.

Il l'eut immédiatement au bout du fil.

— Monsieur Gadbois ? Je m'appelle Noël Robert. Et je viens de parler à Roch Marcoux. Je voulais vous remercier...

— Ne me remercie pas. J'ai beaucoup apprécié ton livre. En fait, je pense que je n'avais pas tant ri depuis *L'Enfirouapé*.

Bizarre : le livre de Noël Robert était paru avant celui d'Yves Beauchemin.

— J'ai été ravi de te recommander, poursuivait Gadbois. Quand Marcoux m'a parlé de son projet de film, je me suis dit qu'un film sur les plaines d'Abraham sans humour, ce serait vraiment pas drôle.

Pourquoi de l'humour ? *L'Homme perdu*, seul roman de Noël Robert, n'avait pourtant rien d'humoristique. Quelques situations amusantes, quelques jeux de mots réussis, mais rien de plus. Pendant que Gadbois continuait à parler, Noël Robert comprit : on l'avait confondu avec Robert Noël, l'auteur d'un roman qu'il n'avait pas lu mais dont les critiques avaient dit beaucoup de bien, *Les Pompiers siamois*.

— En tout cas, continua Gadbois, je suis sûr qu'il n'y a que toi pour y arriver. Si tu peux garder le quart de l'humour de ton roman, ce sera un très bon film.

— Merci. Mais...

— Tu n'as pas à me remercier. Dans le fond, tu me rends service. Tu m'excuses ? J'ai un autre appel.

Après avoir raccroché, Noël Robert resta debout un long moment à côté du téléphone. Il ne retourna à la cuisine que lorsque retentit la sonnerie du four à micro-ondes.

En mâchonnant ses suprêmes de poulet glacés à l'orange, il étudia les possibilités qui s'offraient à lui.

Il pouvait téléphoner à Roch Marcoux et lui expliquer la méprise. Il faudrait ensuite rappeler Ray Blanchette et lui dire qu'il reviendrait travailler dans une semaine ou deux. Mais ces deux démarches le rebutaient trop pour qu'il se sentît la force de les entreprendre ce jour-là.

Il pouvait aussi faire comme si de rien n'était et se lancer dans la rédaction de ce scénario. Vingt-cinq mille dollars avant même de commencer, ce n'était pas si mal. Si jamais Roch Marcoux ou Jacques Gadbois se rendaient compte de la méprise, il pourrait clamer son innocence. Comment aurait-il pu savoir qu'on voulait Robert Noël ?

Il pouvait encore retourner sur la rivière, se rasseoir sur sa caisse de bière et attendre le dégel en vidant les deux dernières bouteilles. Mais le vent, rien qu'à regarder par la fenêtre de la cuisine, paraissait encore plus froid que tout à l'heure, et le dégel, plus improbable.

Il prit une pièce de vingt-cinq cents, la fit sauter au bout de ses doigts, l'immobilisa sur la paume de sa main gauche. «Pile, je fais le scénario. Face, je retourne chez Blanchette et Woodsman.»

Il souleva sa main droite. Pile. Élimination de Blanchette et Woodsman. Il lança la pièce une deuxième fois.

«Pile, je fais le scénario. Face, je retourne sur la rivière.»

Face.

«Je recommence.»

Pile.

«Ouf.»

***

Lorsque France rentra de son conseil de comté en fin d'après-midi, Noël lui annonça qu'il avait été engagé pour écrire un scénario. Mais il évita de lui parler de la méprise qui était à l'origine de ce travail.

— J'ai toujours su, affirma France avec la ferme conviction qu'affichent toujours les gens qui font de la politique, que tu finirais par redevenir écrivain.

***

— As-tu vu la caisse de bière au milieu de la rivière ? remarqua France pendant que Noël préparait le souper.

Il tourna les yeux vers la fenêtre.

— Ah oui. C'est bizarre.

— Je me demande bien quel idiot a pu aller la porter là. Des plans pour se noyer.

Noël Robert sourit sans mot dire.

Le 14 mars

De tous les jeux de la guerre, celui que Gaston McAndrew préférait était incontestablement le saut en parachute. C'était le seul qui lui semblait intrinsèquement dangereux. Conduire une jeep sur un terrain fortement incliné, marcher devant un blindé capable de le broyer en un instant s'il trébuchait sur ses lacets, lancer des grenades d'exercice peut-être mal vérifiées, tout cela présentait des dangers réels. Et il arrivait parfois — on lui avait raconté maintes histoires d'horreur pour tenter de l'impressionner — que quelqu'un se blessât ou se tuât en ces circonstances. Mais il fallait un hasard, une erreur, une bêtise.

Par contre, le saut en parachute présentait des risques évidents même si on suivait à la lettre le manuel d'exercice. Dès que le lieutenant ouvrait la porte de l'avion et faisait signe aux soldats de s'en approcher, Gaston McAndrew sentait l'imminence du danger. Il avait beau savoir qu'on prenait toutes les précautions pour éviter les accidents, une peur délicieuse s'emparait de lui.

Ce jour-là, il retrouva donc, comme toutes les autres fois, cette terreur qui le prenait aux tripes et pour laquelle tout l'or du monde n'aurait pu le convaincre de céder sa place.

Du coin de l'oeil, il observait le lieutenant Vallerand, debout près de la porte ouverte. C'était le seul à ne pas porter de parachute. Le manuel d'instructions l'obligeait à guider les autres sans sauter lui-même.

Gaston McAndrew le prit en pitié. L'officier avait vingt-cinq ans, peut-être un peu plus. À peine sorti de l'école des

31

officiers, il était déjà devenu fonctionnaire — un de ceux qui ne participent plus aux exercices, qui commencent à prendre du ventre à trente ans, et qui en ont beaucoup à quarante, à moins de se mettre à jouer dix heures par semaine au squash ou au racketball.

Pas de danger que ça lui arrive, à lui, Gaston McAndrew. Il serait toujours simple soldat. Tout au plus pourrait-il devenir caporal ou même sergent si on l'y obligeait. Mais les caporaux et les sergents, ça se démène presque autant que les soldats.

Le lieutenant fit signe au premier parachutiste, qui sauta.

Le deuxième — le soldat Demers — s'avança. Le lieutenant lui cria quelque chose à l'oreille. Demers se pencha vers lui, perdit l'équilibre et chercha à se redresser. Sans que Gaston McAndrew ait pu voir comment ou pourquoi, ils tombèrent tous les deux dans le vide.

Gaston McAndrew était le prochain à sauter et il se pencha pour voir le parachute de Demers qui s'ouvrait, tandis que le lieutenant s'éloignait de plus en plus vite vers le sol couvert de neige, en faisant des gestes inutiles et en regardant vers l'avion. «Si jamais cela m'arrive, se dit Gaston McAndrew, je ne m'affolerai pas. J'étendrai les bras comme un oiseau qui ouvre les ailes et je me laisserai descendre tranquillement.»

Derrière lui, tout le monde semblait affolé. Le sergent Dufour s'était penché à côté de Gaston McAndrew et regardait lui aussi le lieutenant disparaître vers le sol.

— C'est bien beau, tout ça, mais on a un exercice de saut à faire aujourd'hui, dit froidement le sergent.

Il fit un signe à Gaston McAndrew, qui sauta dans le vide sans hésiter. Les autres refusèrent de le suivre.

***

À la cafétéria, Gaston McAndrew s'installa, comme chaque fois qu'il le pouvait, à une table déserte. Alors qu'il commençait à manger son dessert, le capitaine Asselin vint s'asseoir devant lui.

— C'est très bien, McAndrew, d'avoir obéi aux ordres du sergent Dufour. On est très fiers de toi. Tu as eu du nerf.

Le capitaine avait pourtant l'air plus embarrassé qu'en-thousiaste. Gaston McAndrew eut envie de lui expliquer qu'il aurait sauté même si on ne lui avait pas ordonné de le faire. Et qu'il avait sauté parce qu'il avait peur et non parce qu'il était brave. Mais cela lui semblait trop compliqué.

— Merci, mon capitaine, dit-il simplement.

— Ce sera une bonne note à ton dossier.

Le 28 mars

Noël Robert avait bel et bien reçu un contrat de Roch Marcoux. Puis, quelques jours plus tard, un chèque de vingt-cinq mille dollars, que France déposa pour lui et qui passa sans difficulté à la banque.

Il n'en avait jamais reçu d'aussi important, et l'avait longuement contemplé avant de le remettre à France.

Lorsqu'il avait été enfin convaincu que le chèque était bon, il avait téléphoné à un magasin de Longueuil pour demander qu'on lui livre l'ordinateur dont il rêvait depuis des années et qu'il avait vainement espéré que France lui offrirait un jour en cadeau.

Deux jours lui suffirent pour installer son ordinateur et en comprendre le fonctionnement.

Il avait réaménagé la petite pièce à l'étage, qui lui avait déjà servi de bureau lorsqu'il écrivait *L'Homme perdu* et qu'il avait continué d'appeler ainsi même s'il ne s'en servait pas.

Il avait aussi commandé une grande table de travail, où il avait installé l'ordinateur, l'imprimante, une boîte de disquettes vierges et une rame de papier accordéon. Mais il passait plus de temps à regarder la rivière, à travers la baie vitrée, qu'à scruter l'écran de l'ordinateur.

Il ne se sentait aucunement pressé. En supposant qu'il faudrait un an pour terminer ce scénario et que celui-ci compterait une centaine de pages, cela ne ferait qu'un tiers de page par jour. Alors que, depuis seize ans, il avait sans doute écrit chaque jour une bonne douzaine de pages de communiqués de presse, de rapports annuels et d'autres documents encore plus ennuyeux pour leur rédacteur que pour leurs lecteurs.

Il avait beau se dire qu'un scénario et un communiqué de presse, ce n'était pas la même chose, il lui semblait absolument impensable qu'il n'en vînt pas à bout avant six mois ou un an. D'autant plus qu'il pourrait compter sur l'aide d'Alice Knoll, dès que celle-ci serait revenue d'Angleterre, où elle faisait une tournée de promotion pour son dernier roman.

À son sujet, sa stratégie était aussi humble que simple : il laisserait à Alice Knoll le soin de trouver le concept général du scénario et de proposer les idées ; et il se chargerait, pour sa part, du travail à la fois le plus pénible et le plus facile — rédaction, transcription, correction. Elle aurait l'inspiration ; il fournirait la transpiration. Elle serait le génie et lui ferait le nègre.

En attendant, il n'écrivait rien et se contentait, ce matin-là, d'examiner la rivière comme s'il s'était agi d'une occupation importante. La glace avait complètement disparu mais les bateaux de plaisance n'avaient pas encore commencé à circuler.

Il était si absorbé dans l'immobilité du paysage que la sonnerie de la porte d'entrée n'attira pas immédiatement son attention. Il descendit l'escalier et ouvrit la porte juste au moment où un coursier impatient s'apprêtait à appuyer une quatrième fois sur le bouton.

C'était une enveloppe des Productions Roch Marcoux. Noël Robert l'ouvrit en remontant l'escalier. Elle contenait une vingtaine de feuillets écrits à la main, avec une petite note au stylo rouge suivie des initiales R.M., sur la première page : «J'ai pensé que ça vous intéresserait, même si c'est beaucoup trop long. Un bon scénario, ça part toujours d'une histoire courte.»

Cher Monsieur Marcoux,
Voici le récit que vous m'avez demandé.
Je me suis efforcé de m'en tenir à l'essentiel et d'évi-
ter tous les témoignages contradictoires, qui sont extrê-
mement nombreux au sujet de cette bataille, puisque leur
nombre est toujours directement proportionnel à celui des
témoins d'un événement.
Dans le cas de la bataille des plaines d'Abraham,
la recherche de l'objectivité se complique du fait que les

historiens ont chacun leurs préjugés. Les Britanniques et les Canadiens anglais ont tendance à voir dans tous les aspects de cet affrontement des manifestations du génie et du courage anglo-saxons, face à l'inefficacité typiquement française de Montcalm et à l'infériorité intellectuelle manifeste des Canadiens. Les Québécois, pour leur part, ont tendance à imputer la responsabilité de la défaite à Montcalm, un Français, pour absoudre le Canadien Vaudreuil. Et les Français continuent à manifester la même passion qu'ils avaient pour le Canada au siècle de Voltaire, en s'abstenant d'écrire sur ce sujet, comme si cette bataille n'avait jamais eu lieu ou qu'ils n'y avaient pas participé.

Dans l'espoir de vous voir régler sans retard la facture ci-jointe, je vous prie d'agréer l'expression de mes sentiments les plus distingués.

Alexandre Anastase,
historien.

I. Le siège

En 1759, la France et l'Angleterre sont en guerre depuis trois ans. L'Angleterre s'est d'abord emparée de trois cents navires de commerce français, la France a répliqué en s'emparant de Majorque, et ainsi de suite... Sans doute ces deux pays se font-ils la guerre parce qu'ils en ont envie, quels qu'eussent été leurs motifs immédiats ou profonds. Ce qui ne les empêche pas de se trouver de nombreux alliés et de transformer ce conflit en guerre quasi mondiale, puisque presque toute l'Europe s'en mêlera et qu'on se battra jusqu'en Amérique et en Inde. L'Autriche, la Russie, la Saxe, la Suède et l'Espagne s'allient à la France. Seules la Prusse et Hanovre se joignent aux Anglais.

La guerre de Sept Ans (c'est le nom qu'on lui donnera) semble d'autant plus éloignée de notre propos qu'en Amérique on n'a pas attendu une déclaration de guerre pour se taper dessus. Depuis près de cent ans, les hostilités sont presque constantes entre les colonies françaises et anglaises. Et les Français, malgré leur petit nombre et l'immense territoire qu'ils s'efforcent de conserver, s'en tirent fort bien.

Le début de la guerre officielle est désastreux en Europe pour l'Angleterre. Celle-ci se trouve forcée, en décembre 1756, de se donner comme Premier ministre un homme fort habile, William Pitt, qui met sur pied une stratégie étonnante. En Europe continentale, il se contente de contenir les Français et de faire diversion, laissant surtout à Frédéric II de Prusse le soin de les combattre. Et il se concentre sur son objectif principal : s'emparer de l'empire colonial français en Amérique, objectif apparemment fort modeste, puisque la France ne se préoccupe guère de ses colonies et que les Anglo-Américains jouissent d'une supériorité écrasante (la Nouvelle-France compte moins de soixante mille habitants alors que la population des colonies américaines dépasse le million).

En 1758, Pitt ordonne trois attaques contre le Canada. Au Cap-Breton, Amherst (secondé par Wolfe) prend Louisbourg, la forteresse qui contrôle l'embouchure du Saint-Laurent. À l'ouest, Forbes s'empare des forts qui commandent le lac Ontario. Mais l'attaque principale, menée par Abercromby, se termine par une déroute face à Montcalm, au fort Carillon, à l'extrémité sud du lac Champlain.

L'année suivante, Pitt, qui a de la suite dans les idées, se propose encore d'attaquer la Nouvelle-France, et toujours de trois côtés à la fois. Amherst, commandant en chef pour l'Amérique du Nord, doit avancer sur Montréal ou sur Québec par l'ouest et par le sud. Il s'empare de quelques forts détruits par leurs défenseurs, mais ne se hâte pas d'assiéger Montréal et encore moins Québec. Le 25 juillet, Prideaux prend le fort Niagara (à l'endroit où le fleuve du même nom se jette dans le lac Ontario) et coupe les communications entre la Nouvelle-France et la Louisiane. Wolfe reçoit la tâche la plus redoutable : attaquer Québec par le Saint-Laurent, avec une flotte de quarante-neuf navires et une armée de huit mille cinq cents hommes.

Vaudreuil, gouverneur général de la Nouvelle-France, est prévenu, dès le mois de mai, que Wolfe s'apprête à l'attaquer. Il a donc le temps d'ordonner la construction des retranchements indispensables.

Car, malgré l'imposante silhouette de son cap Diamant, la ville de Québec est mal protégée. Ses fortifications sont si mauvaises que Montcalm qualifiait de voleur Chaussegros de Léry, qui leur avait consacré des sommes importantes une dizaine d'années plus tôt.

Mais les Français craignent par-dessus tout que les Anglais ne tentent un débarquement à Beauport, à l'est de la ville, où la côte basse est dépourvue de défenses naturelles. C'est là qu'ils se fortifient le plus efficacement et qu'ils installent leur camp principal.

Vaudreuil donne l'ordre d'enlever les repères de navigation marquant le chenal de la Traverse (à l'est de l'île d'Orléans) et de les remplacer par des faux. Il fait couler des navires pour bloquer le passage (ce qui n'empêche pas la flotte anglaise de passer sans grande difficulté, car le chenal est plus large que ne l'imaginent les Français, peu passionnés d'hydrographie).

L'armée française qui s'installe à Beauport compte au total quelque treize mille soldats et miliciens, et plus de mille Amérindiens. Il y a aussi deux mille hommes en garnison dans la ville, ainsi que des troupes importantes dans la région de l'île aux Noix et en amont de Montréal. Quelque vingt mille hommes sont donc sous les drapeaux. Nombre impressionnant pour une colonie qui ne compte pas soixante mille habitants. La mobilisation aurait pu difficilement être plus générale.

Vaudreuil se hâte aussi d'envoyer les navires de provisions à Batiscan, à plus de cinquante milles à l'ouest de Québec, pour les mettre à l'abri des Anglais, supposés incapables de naviguer en amont du cap Diamant. Si la ville était tombée, toutes les provisions de l'armée auraient été perdues par la même occasion. Bien entendu, dès que Wolfe s'empare de l'île d'Orléans et de la pointe Lévis, pratiquement abandonnées par les Français, ses navires se mettent à circuler librement en amont de Québec et l'approvisionnement de la ville devient problématique. Il faut acheminer par le fleuve des convois nocturnes, avec les conséquences qu'on verra.

Sur les hauteurs de Lévis, l'artillerie britannique installe ses batteries et se prépare à bombarder Québec. Une expédition française, formée d'Amérindiens, de volontaires et même de collégiens des jésuites, tente de s'emparer par surprise des batteries anglaises. Mais cette expédition se termine de façon désastreuse : les attaquants se tirent dessus les uns les autres dans les bois qui entourent leur objectif et doivent rentrer à Québec avant même que les Anglais ne s'aperçoivent qu'on les attaque !

Le 12 juillet, vingt-neuf pièces d'artillerie commencent à bombarder Québec et allument d'importants incendies. Le bombardement se poursuit presque tous les jours. Pendant ce temps, les pièces françaises, pourtant nombreuses, restent silencieuses pour économiser la poudre.

Les Français tentent plutôt de mettre le feu à la flotte anglaise par des «cajeux de brûlots» — séries de radeaux et de petits bateaux enchaînés les uns aux autres — qu'on fait flotter sur le fleuve en direction des navires anglais et auxquels on met le feu à la dernière minute. Mais les Anglais réussissent, à bord de petites embarcations, à écarter les brûlots et à sauver leur flotte.

L'été passe rapidement, et Wolfe commence à craindre que l'hiver ne le force à lever le siège. Il a installé son camp principal sur la côte nord, à l'est des chutes Montmorency — donc juste en aval de celui de Montcalm. Le 31 juillet, il fait à Montmorency une tentative de débarquement aussi maladroite que désastreuse. Ses bateaux de débarquement sont incapables de s'approcher jusqu'à une centaine de verges de la berge, comme ses hydrographes le lui ont promis. (Le principal responsable de cette promesse désastreuse est le capitaine James Cook — qui deviendra par la suite le plus grand explorateur anglais du Pacifique au XVIIIe siècle.) Les soldats anglais ont beaucoup de mal à atteindre la terre ferme sous le feu nourri des Français et sont aisément repoussés. Les pertes anglaises s'élèvent à deux cent dix morts et deux cent trente blessés (presque autant que lors de la bataille des plaines d'Abraham).

Wolfe passe le mois d'août à chercher un meilleur plan, tandis que ses troupes se livrent à la destruction systématique des villages environnants (mille quatre cents maisons de ferme brûlées en quelques semaines). Il est malade, et ses relations avec ses trois principaux officiers (les brigadiers Townshend, Monckton et Murray) se détériorent. Mais il est convaincu qu'il est impossible de prendre Québec sans forcer Montcalm à sortir de ses retranchements et à livrer bataille.

Pendant ce temps, on s'observe de part et d'autre, de chaque côté du fleuve. Et on s'entend, parfois. Un jour, les acclamations des soldats français signalent à Wolfe la présence de Montcalm. Et le général anglais salue galamment son rival par une décharge générale de son artillerie.

Au début de septembre, Wolfe fait évacuer le camp de Montmorency et rassemble le gros de son armée à Lévis, pour commencer à mettre en oeuvre le plan qu'il a adopté mais qu'il refuse de dévoiler à ses officiers supérieurs : débarquer à l'ouest de Québec, de façon à couper la ville de ses sources d'approvisionnement et forcer Montcalm à se battre.

Il fait passer en amont de la rivière Etchemin des troupes importantes et les bateaux plats destinés au débarquement. À Cap-Rouge, près de Sillery, les troupes françaises, sous les ordres du jeune Bougainville (qui deviendra plus tard le plus grand explorateur français du Pacifique au XVIIIe siècle), voient les nouvelles dispositions de l'armée anglaise. Mais Montcalm croit toujours les Anglais incapables de débarquer entre Québec qu'il commande et les armées de Bougainville qui surveillent tout le secteur à l'ouest des remparts. À Vaudreuil, il déclare, à propos de la possibilité d'un débarquement dans les environs de l'anse au Foulon : «Il ne me faut pas croire que les ennemis aient des ailes pour, la même nuit, traverser, débarquer, monter des rampes rompues et escalader ;

d'autant que, pour la dernière opération, il faut des échelles.»

Des pluies torrentielles retardent Wolfe, qui doit faire renvoyer à terre mille cinq cents hommes entassés dans les bateaux et les navires.

Le 10 septembre, il choisit le point précis du débarquement : l'anse au Foulon. Déguisés en simples grenadiers, Wolfe et ses officiers supérieurs vont l'examiner d'en face. De l'autre côté du fleuve, à Sillery, un officier français les aperçoit dans sa lunette et les identifie. Comme ils plantent des piquets dans le sol, il s'imagine qu'ils tracent les limites d'un nouveau camp.

Mais Wolfe observe soigneusement l'anse au Foulon, remarque sa plage de galets, propice au débarquement de bateaux plats, et son sentier mal défendu, apparemment jugé impraticable par les Français.

Bien entendu, il y a de nombreux endroits plus à l'ouest où le débarquement serait plus facile. Mais l'anse au Foulon a l'avantage d'être tout près des campements anglais de l'île d'Orléans et de Lévis. Wolfe disposera donc d'un millier de soldats qu'il serait forcé de laisser derrière lui s'il attaquait plus loin.

Il donne des ordres précis pour l'embarquement des troupes, mais tait toujours l'objectif du débarquement à ses trois brigadiers.

Le 12, quelques heures seulement avant le début de l'opération, ceux-ci lui envoient une lettre lui enjoignant de leur dévoiler l'objectif de l'opération. Le général en chef répond par une lettre cinglante, adressée à Monckton, qu'il traite presque d'imbécile pour n'avoir pas déduit de leur promenade sous déguisement que l'anse au Foulon serait visée.

Montcalm, à Beauport, est mis au courant des mouvements des Anglais. Il craint une attaque imminente, près de Deschambault ou de Cap-Rouge, loin à l'ouest. Et il demande à Bougainville de suivre avec ses troupes les déplacements des navires anglais sur le fleuve pour repousser toute tentative de débarquement.

Mais il redoute encore plus une attaque à Beauport ou même dans la basse ville. Aussi déplace-t-il une partie de ses troupes stationnées près de Montmorency pour les rapprocher de Québec. Le bataillon de Guyenne, en particulier, est depuis le début de septembre en perpétuel mouvement. Le 5, Montcalm lui fait traverser la rivière Saint-Charles et le place sous l'autorité de Bougainville. Le bataillon passe la nuit sur les plaines d'Abraham, tout près de l'anse au Foulon. Le 6, Montcalm se ravise et ramène le bataillon de Guyenne à l'est du pont sur la rivière Saint-Charles. Le 12, Montcalm aurait de nouveau changé d'avis et ordonné que le bataillon retourne au Foulon. Mais Vaudreuil lui aurait répliqué : «Nous verrons demain.»

Le même jour, le munitionnaire Cadet, responsable de l'approvisionnement des armées, écrit à Bougainville, à Cap-Rouge, pour lui demander de faciliter le passage d'un convoi de vivres qui descendra le fleuve vers Québec, la nuit suivante.

Bougainville prévient donc les postes de garde entre Sillery et Québec de laisser passer le convoi. Mais le départ de celui-ci est annulé. Et personne n'en avise les postes de garde.

Pendant que le gros de la flotte anglaise manoeuvre devant Beauport pour inquiéter Montcalm et lui faire croire à une tentative de débarquement de ce côté-là, Wolfe commence à faire rembarquer les troupes dans les bateaux plats, vers neuf heures du soir. À dix heures, la lune s'est levée. Mais elle est dans son dernier quartier et n'éclaire que faiblement la scène.

La bataille pour Québec et la Nouvelle-France va commencer.

II. La bataille

Les trente bateaux plats chargés des mille huit cents hommes de la première vague d'assaut se laissent d'abord porter par la marée montante, jusqu'à ce que la lumière suspendue au mât d'un de leurs navires leur signale qu'ils arrivent à la hauteur de Cap-Rouge.

43

À une heure trente-cinq, comme prévu, la marée commence à baisser et les bateaux se laissent descendre, en diagonale, vers l'autre côté du fleuve. Des nuages cachent la lune, assombrissant les flots et le rivage. Les bateaux avancent sans bruit.

Trois quarts d'heure plus tard, les vaisseaux chargés de provisions et de munitions, amarrés juste en face de l'anse au Foulon, suivront en traversant le fleuve en ligne droite. Vers trois heures, ce sera au tour des grands navires chargés de troupes. La dernière vague — les hommes stationnés à l'île d'Orléans et à Lévis — s'embarquera dès que les premiers bateaux seront libérés.

Wolfe est dans la première barque, et il récite, dit-on, la fameuse *Elegy in a Country Churchyard*, de Gray, qui se termine par ces vers éminemment mélancoliques :

> *The boast of heraldry, the pomp of pow'r,*
> *And all the beauty, all the wealth e'er gave,*
> *Awaits alike th'inevitable hour.*
> *The paths of glory lead but to the grave.*

Wolfe aurait ajouté : «Je préférerais avoir écrit ces vers que de prendre Québec demain.»

Sur la rive, une sentinelle française, entendant du bruit, demande : «Qui vive ?» Un Anglais répond : «France.» Les Français n'ont convenu d'aucun mot de passe. Les hommes des postes de garde, croyant avoir affaire au convoi de ravitaillement, laissent passer les Anglais.

Plus loin, devant la batterie de Samos qui domine le fleuve un peu en amont du lieu de débarquement prévu, une autre sentinelle lance son «Qui vive ?» Le même officier anglais répond : «Convoi de provisions. Mais ne faites pas de bruit, les Anglais vont nous entendre.»

Les bateaux plats touchent enfin le sol graveleux du rivage, un peu à l'est de l'endroit visé par Wolfe, où un sentier assez large pour que deux hommes passent de front leur aurait facilité la tâche. Ils sont juste sous le piquet de garde. Wolfe décide qu'on montera en ligne droite, même sans échelles.

L'infanterie légère écossaise est la première à escalader les cent quatre-vingts pieds de la falaise, en s'agrippant aux arbres et aux buissons, de façon à redescendre derrière le poste de garde, tandis que d'autres soldats monteront par le sentier.

Une autre sentinelle française aperçoit des ombres dans l'obscurité, appelle son officier, qui menace de tirer. Mais un Écossais qui parle français prétend diriger un détachement envoyé pour défendre l'anse au Foulon.

Le temps que les Français réalisent leur erreur, trois compagnies anglaises fondent sur eux et en font la moitié prisonniers. L'autre moitié des hommes s'enfuient vers Québec.

Rien n'empêche plus les Anglais de monter en grand nombre sur les plaines d'Abraham. Mais Wolfe se méfie encore. Il envoie Isaac Barré, son adjudant-général adjoint, prévenir les gens des bateaux de suspendre le débarquement tant qu'il ne se sera pas assuré que les forces ennemies seront incapables de les repousser. Car Wolfe n'a pas assez de bateaux pour rembarquer tout son monde en même temps, au cas où il serait forcé d'évacuer l'anse au Foulon. Barré constate que les bateaux sont pleins de troupes déjà prêtes à mettre pied à terre. Il désobéit à Wolfe, qui est son ami, et fait continuer le débarquement sans tarder. Les derniers régiments arriveront vers huit heures du matin.

Dans la nuit, du haut de la falaise, quelques Français et quelques Canadiens tirent sur les bateaux et les navires, causant quelques pertes. Et la batterie de Samos ouvre le feu. Wolfe envoie Murray et une centaine d'hommes la neutraliser. Ce qui est fait rapidement.

Wolfe effectue une brève reconnaissance du côté de la ville pour choisir un terrain favorable à une bataille rangée. Il choisit un endroit où le plateau est un peu plus étroit — à quelque six cents pas derrière une ondulation de terrain appelée les buttes à Nepveu, qui l'empêchent de voir les remparts de Québec et d'en être vu. (C'est à cet endroit que se dresse maintenant la vieille prison de Québec.)

Wolfe a eu beaucoup de chance jusque-là. Ses troupes ont débarqué tout près de l'endroit prévu, malgré l'obscurité. L'endroit choisi s'est révélé relativement facile à escalader. Et les quelques soldats français rencontrés ont été surpris et aisément neutralisés.

La chance sourit moins aux Français. Il faudra encore quelque temps avant que Vaudreuil et Montcalm ne se rendent compte de la situation. À une heure du matin, Montcalm a été prévenu des manoeuvres des navires anglais en face de Beauport. Il a mis ses batteries sur un pied d'alerte et fait avancer la milice sur la plage. De la ville, des feux lui ont signalé qu'on a entendu des coups de mousquet à l'ouest. Montcalm a supposé qu'un convoi de provisions a pu être découvert ou capturé.

À l'aube, un des hommes du poste de garde du Foulon arrive à la rivière Saint-Charles et annonce que l'ennemi est sur les plaines d'Abraham. Mais on ne le croit pas tout de suite, car le pauvre homme est si terrorisé qu'on imagine qu'il a perdu la tête.

Vaudreuil reçoit à six heures moins quart une note du chevalier de Bernetz, commandant de la basse ville, annonçant que les Anglais ont débarqué au Foulon, mais qu'ils sont sûrement repartis, puisqu'on n'entend plus rien. Une heure plus tard, Vaudreuil envoie à Bougainville une lettre lui demandant si l'ennemi a tenté une percée de son côté. Mais il ne l'appelle pas au secours de la ville.

Le bataillon de Guyenne et les piquets de service des autres bataillons ont été envoyés les premiers sur les plaines d'Abraham, avant même que Montcalm fût alerté. Et les troupes de la droite du camp de Beauport sont déjà en mouvement, sans doute sous l'ordre de Vaudreuil dont la maison est tout près.

Vers six heures, Montcalm monte à cheval avec son aide de camp, le chevalier Johnstone, et galope vers la ville. En arrivant devant la maison de Vaudreuil, près de Québec, il aperçoit, à deux milles de distance, les lignes rouges de l'armée anglaise sur les hauteurs au-delà de la rivière Saint-Charles. «Voici quelque chose de sérieux», constate Montcalm. Il envoie Johnstone au grand galop chercher les troupes du centre et de l'aile gauche, près de Montmorency.

À sept heures, les troupes du camp de Beauport commencent à traverser en grand nombre le pont de bateaux sur la rivière Saint-Charles.

Avant le lever du jour, Wolfe fait s'aligner son armée sur deux rangs (au lieu des trois habituels, parce que les plaines sont vastes). Il a laissé en réserve le régiment de Webb, commandé par son ami le colonel Burton.

Monckton commande la droite ; Murray, la gauche ; et Townshend dirige les régiments placés en potence (à angle droit par rapport à la ligne principale) du côté nord, pour protéger la gauche et les arrières des attaques de miliciens et d'Amérindiens. Pendant ce temps, les marins anglais montent, par le sentier du Foulon, deux canons et des boulets de six livres.

Arrivé sur les plaines d'Abraham, Montcalm demande qu'on lui envoie des canons de Québec et ordonne qu'on place soldats et miliciens en ordre de bataille. Un billet de Vaudreuil lui enjoint d'attendre l'arrivée des mille cinq cents hommes encore à Québec et du corps de Bougainville. Il n'en tient aucun compte.

Des escarmouches sont déjà engagées. Les Amérindiens, les miliciens et les troupes coloniales tirent sur les Anglais et font beaucoup de victimes.

Wolfe ordonne à ses soldats de s'étendre sur le sol pour échapper au feu des francs-tireurs cachés des deux côtés. L'artillerie cause aussi quelques pertes dans les deux camps, bien que les Français ne disposent que d'une demi-douzaine de canons et les Anglais, d'un ou deux seulement.

Il est impossible de savoir avec précision le nombre d'hommes sur lesquels Montcalm peut compter. Les estimations varient entre deux mille cinq cents et sept mille cinq cent vingt. Sans doute a-t-il sous ses ordres quatre mille soldats environ — dont un grand nombre de miliciens peu habitués à la bataille rangée, alors que leurs adversaires le sont tous.

On connaît le chiffre officiel (mais pas nécessairement juste) des troupes anglaises : quatre mille quatre cent quarante et un hommes. Ce sont des régiments réguliers de soldats anglais, écossais et américains.

Montcalm est convaincu qu'il doit engager la bataille sans tarder. Les fortifications de Québec sont trop mauvaises pour résister à un assaut. S'il attend Bougainville, cela peut donner à l'ennemi le temps de se retrancher et de faire monter plus d'artillerie et des renforts supplémentaires.

Il déclare : «Nous ne pouvons éviter l'action ; l'ennemi se retranche et a déjà deux canons. Si nous lui donnons le temps de s'établir, nous ne pourrons jamais l'attaquer avec le genre de troupes dont nous disposons.» Il ajoute : «Se peut-il que Bougainville n'entende pas tout ce vacarme ?» Il se lance à l'attaque, sur son cheval, et les troupes françaises le suivent.

Il est dix heures, comme en témoignent les journaux de bord des bateaux anglais, où on est à l'écoute de la bataille. Les tambours sonnent la charge, les drapeaux de soie flottent au vent. Les Français sont disposés en colonnes au centre, et en rangs sur les ailes. Ils lancent un grand cri de guerre, puis avancent presque en courant.

Montcalm a incorporé un corps de milice à chaque bataillon de troupes régulières, mais ces miliciens sont incapables de suivre le rythme régulier des soldats de métier. La formation commence donc presque aussitôt à se démembrer — après vingt pas à peine, la gauche est trop en retard et le centre trop à l'avant. À une demi-portée de mousquet (une cinquantaine de verges), la ligne s'arrête pour tirer une première salve désordonnée. Après avoir tiré leur première balle, les miliciens canadiens, selon leur coutume, se jettent au sol pour recharger. (Coutume qui nous semble parfaitement logique mais qui était méprisée par les troupes régulières ; peut-être celles-ci se souciaient-elles de ne pas salir leur uniforme, mais peut-être aussi est-il plus facile de recharger un mousquet lorsqu'on est debout.)

Pendant ce temps, la ligne rouge des Anglais ne bronche pas. Wolfe occupe un petit monticule, sur sa droite, et a ordonné de ne pas tirer tant que l'ennemi ne sera pas à quarante verges des baïonnettes anglaises. Le ou les canons anglais tirent de la mitraille mais les mousquets demeurent silencieux. Wolfe a aussi commandé de charger les mousquets à deux balles. Cette pratique peu utilisée réduit la portée et la précision des mousquets mais donne à l'armée de Wolfe la force de feu d'une armée deux fois plus nombreuse. Le commandant de chaque bataillon ordonne enfin de tirer et les troupes — dans un ordre imparfait mais néanmoins fort impressionnant — tirent une première salve, par pelotons. Puis les soldats avancent de quelques pas pour traverser la fumée et tirent une autre salve, générale celle-là.

Le tir des Français avait fait peu de dégâts — moins, semble-t-il, que celui des escarmouches avant la bataille proprement dite. Mais le tir des Anglais, à si faible portée et à double balle, est dévastateur.

La bataille est presque déjà terminée. Les Français encore sur pied fuient vers la ville ou vers le pont de la rivière Saint-Charles, et les troupes britanniques se lancent à leur poursuite.

C'est à ce moment-là que Wolfe est touché. Certains auteurs soulignent qu'il cherchait à l'être, citant une lettre à sa mère écrite quatre ans plus tôt, dans laquelle il disait ne pas mériter la réputation d'être un des meilleurs officiers de son rang, car cette réputation le forcerait à être «prodigue de sa vie pour se montrer à la hauteur, et ainsi connaître le destin qui est généralement l'effet d'une telle conduite».

Effectivement, Wolfe fait peu d'efforts pour se protéger. De grande taille, il s'est installé sur un monticule. On dit aussi qu'il porte un uniforme tout neuf, qui doit le rendre plus visible encore.

Il reçoit trois blessures. La première au poignet, qu'il se contente de panser avec un mouchoir. La deuxième juste sous le nombril, dont il continue à ne pas tenir compte. Et la troisième, mortelle, dans la partie droite de la poitrine. On ne sait trop qui le toucha de cette dernière balle. Une histoire raconte que c'était un déserteur anglais. Mais il est plus probable que ce fut un des francs-tireurs cachés dans les buissons juste au-dessus du Saint-Laurent.

Wolfe, chevaleresque, ordonne à ceux qui l'entourent de se baisser. On lui demande s'il désire un chirurgien et il répond : «C'est inutile ; tout est terminé pour moi.» Un de ses hommes s'écrie : «Ils courent, voyez comme ils courent.» Wolfe demande : «Qui court ?» L'homme répond : «L'ennemi, messire ; parbleu ! il cède partout.» Le général se réjouit alors : «Que l'un d'entre vous, messieurs, aille au colonel Burton ; dites-lui de faire descendre au plus tôt le régiment de Webb à la rivière Saint-Charles pour couper la retraite des fugitifs par le pont.» Puis, se tournant sur le côté, il ajoute : «Que Dieu soit loué maintenant, je peux mourir en paix.» Et c'est ainsi qu'il rend l'âme.

Dès onze heures, on descendra le corps de Wolfe sur le navire amiral, le *Lowestoft*. Une demi-heure plus tôt, Monckton et plusieurs autres officiers blessés l'y avaient précédé.

(Si jamais vous avez l'occasion de voir le fameux tableau de Benjamin West représentant la mort de Wolfe, ne vous y fiez pas du tout. Bien qu'il s'agisse d'un des tableaux historiques les plus célèbres, il est bourré d'erreurs, West y ayant représenté des gens qui n'étaient pas à la bataille, ni même au Canada. On raconte que plusieurs notables britanniques ont payé cent livres pour passer ainsi, sans même devoir traverser l'Atlantique, à la postérité.)

Quelques instants après Wolfe, c'est au tour de Montcalm d'être mortellement touché. Il est blessé pendant la retraite, emporté par le flot des réfugiés (peut-être fuyait-il tout simplement, comme tout le monde, mais aucun de ses contemporains ne l'a pensé ou n'a osé l'écrire). Aussi facile à repérer sur son cheval que Wolfe pouvait l'être sur son monticule, Montcalm aurait été blessé par le tir de mitraille d'un canon anglais, dont les serveurs l'auraient délibérément visé. Il est touché dans la partie inférieure de l'estomac et dans la cuisse (ce qui porte à croire qu'il ne tournait pas le dos à l'ennemi). Trois soldats le maintiennent en selle et l'aident à rentrer dans la ville. Mais il ne meurt pas immédiatement. On le transporte à la maison du chirurgien André Arnoux, dont le jeune frère, aussi chirurgien, examine et panse ses blessures.

Sur les plaines d'Abraham, la bataille n'est pas tout à fait terminée. Les Highlanders tirent leurs sabres et les régiments anglais mettent baïonnette au canon. Plusieurs Français sont tués, mais le gros de la troupe en fuite n'est pas rattrapé. Les Anglais s'emparent de deux canons seulement et d'aucun drapeau.

Les arbres et les pentes de la colline descendant vers la rivière Saint-Charles permettent à quelques centaines de Canadiens de s'abriter et de résister aux Écossais par un feu nourri, tout près de l'Hôpital général. Avec l'aide d'Anglais arrivés en renfort, les Highlanders parviennent enfin à chasser l'ennemi vers la rivière Saint-Charles. (En fait, la déroute, probablement amorcée par les Canadiens, n'est complète que chez les Français. Et c'est la milice qui permet au gros de l'armée de s'échapper, par le pont, jusqu'au camp de Beauport.)

Une bataille si brève cause pourtant des dégâts importants. Les pertes chez les Anglais s'élèvent à six cent cinquante-six hommes, dont cinquante-huit tués. Et les victimes sont particulièrement nombreuses parmi les officiers supérieurs.

Du côté français, Vaudreuil rapporte la perte de quelque six cents hommes, en plus de quarante-quatre officiers — dont les trois principaux (Montcalm, Séne- zergues et Fontbonne), mortellement blessés.

Les pertes ont donc été aussi fortes chez le vainqueur que chez le vaincu.

Vaudreuil ne se présente sur les plaines d'Abraham qu'à la fin de la bataille. Et Bougainville y arrive avec encore plus de retard, vers le milieu de l'après-midi. Townshend, qui a pris le commandement après la perte de Wolfe et de Monckton, lui oppose deux bataillons et deux canons. Bougainville bat en retraite aussitôt, et Townshend évite de se lancer à sa poursuite, d'autant plus que son artillerie est équipée de munitions du mauvais calibre. Il est toutefois probable que l'arrivée de Bougainville a dissuadé Townshend de poursuivre les troupes françaises de l'autre côté de la rivière Saint-Charles.

Vaudreuil retourne aussitôt au camp de Beauport, d'où il envoie une note à Montcalm pour lui demander quoi faire, comme s'il était soudain avide des conseils d'un général mourant qu'il a rarement écouté de son vivant.

Montcalm présente au gouverneur trois possibilités : capituler au nom de la colonie entière ; attaquer de nouveau l'ennemi ; ou poursuivre la retraite au-delà de la rivière Jacques-Cartier, loin à l'ouest.

Les conseils de Montcalm ne sont d'aucune aide à Vaudreuil, qui, après avoir convoqué un conseil de guerre, décide de prendre la fuite et de laisser Québec — mais non la colonie — capituler. De Ramezay, commandant de la ville, reçoit l'ordre de hisser le drapeau blanc dès que les vivres viendront à manquer et Vaudreuil lui envoie même le brouillon des articles d'un traité de capitulation.

Pendant la nuit, Montcalm demande combien d'heures il lui reste à vivre. Le médecin répond qu'il n'en a plus pour longtemps. «Tant mieux, aurait alors dit le général, je ne verrai pas les Anglais dans Québec.»

Dans la ville même, la mince garnison est démoralisée par l'annonce de la mort de Montcalm, qui est enterré immédiatement au fond d'un cratère de bombe, dans la cave de la chapelle des ursulines.

(La mort du général français fit, elle aussi, l'objet d'un tableau ridicule de Vatteau, qui le représente étendu sur le champ de bataille, alors qu'il n'y était même pas descendu de cheval, et sous des palmiers.)

III. Épilogue

La victoire britannique est loin d'être complète : les Anglais n'ont pas détruit l'armée française et ne se sont pas emparés de la ville.

Le 17, de Ramezay se résout à capituler, alors même que Vaudreuil, convaincu par Lévis (second de Montcalm pour l'ensemble de la Nouvelle-France et responsable de toutes les troupes à l'ouest de celles de Bougainville) que la retraite a été une erreur, tente de communiquer avec lui pour l'encourager à tenir bon. Lorsque le détachement de cavalerie portant le message de Vaudreuil arrive enfin à de Ramezay, il est trop tard : les Anglais ont accepté les termes de la capitulation. La garnison aura les honneurs de la guerre (elle gardera ses drapeaux et ne sera pas faite prisonnière, mais devra être rembarquée le plus tôt possible vers la France).

Les deux signataires devront s'excuser auprès de leurs chefs. De Ramezay alléguera que le manque de vivres l'a forcé à se rendre. Townshend expliquera que l'ennemi s'assemblait sur ses arrières, que l'hiver approchait, et qu'il n'avait d'autre choix qu'une capitulation généreuse.

Le soir du 18, les Anglais entrent donc dans Québec. En apprenant que de Ramezay veut se rendre, Lévis dépêche un détachement, qui n'est qu'à une demi-lieue de la ville lorsqu'il apprend la capitulation.

Lévis aura, malgré tout, son heure de gloire, sept mois plus tard. Le 28 avril 1760, il battra les Anglais sur les plaines d'Abraham et entreprendra le siège de Québec, en espérant que les premiers navires à remonter le Saint-Laurent apporteront des renforts français. Mais ils seront anglais. La colonie devra capituler et brûler ses couleurs, puisque les Anglais, cette fois, n'accorderont pas les honneurs de la guerre.

Le 10 février 1763, l'Angleterre, la France, l'Espagne et le Portugal mettent fin à la guerre de Sept Ans en signant un traité à Paris. La France cède à l'Angleterre l'Acadie, le Cap-Breton et le Canada, mais reprend la Martinique et la Guadeloupe. Les Anglais ont débattu longuement avant de décider que le Canada vaut mieux que la Guadeloupe, car le commerce du sucre de celle-ci rapporte à la Couronne le double de ce que le commerce des fourrures canadiennes peut donner. La France n'a pas eu de telles hésitations. Elle abandonne même la Louisiane à l'Espagne (qui la lui rendra en 1800, à temps pour que Napoléon Ier, à court d'argent, la cède aux Américains).

Noël Robert s'était juré de ne pas écrire une ligne avant le retour d'Alice Knoll.

Mais elle prolongeait son séjour en Angleterre de quelques jours. Et il se résolut un beau matin d'écrire quelques scènes. Si jamais Alice Knoll n'appréciait pas le fruit de son travail, sa décision de faire le nègre et de la laisser jouer au génie n'en serait que mieux justifiée.

Il s'était mis à l'ouvrage avec un minimum d'enthousiasme dès huit heures. À onze heures, il relut sur l'écran — pour la centième ou millième fois — la seule et unique ligne qu'il avait écrite.

«C'est l'aube.»

Impossible d'aller plus loin. Le récit d'Alexandre Anastase était clair, pourtant : à l'aube, Montcalm était à Beauport, où il attendait une attaque anglaise, tandis que Wolfe était sur les plaines d'Abraham, où il disposait ses soldats en ordre de bataille.

Noël Robert avait décidé que le meilleur moment pour commencer le film serait l'aube et non la nuit. Il avait toujours détesté les scènes nocturnes au cinéma. Il n'aurait ensuite qu'à revenir, en rétrospective, sur les scènes du faux convoi, des sentinelles françaises et du débarquement.

La première scène du film, qu'il n'arrivait pas à écrire, est celle du soleil se levant sur un paysage parfaitement banal et paisible qui va bientôt se transformer en champ de bataille. Des oiseaux piaillent et des sauterelles fuient. La caméra se promène sur les plaines d'Abraham, en suivant d'abord un papillon (excellente occasion de mettre à profit les plus récentes innovations techniques pour filmer un papillon en vol), puis un enfant (une fillette, de préférence) qui poursuit ce papillon en riant et qui aperçoit tout à coup devant lui (ou elle) quelques hommes en habits rouges — ce sont Wolfe et ses officiers qui explorent le terrain.

Un des officiers veut s'emparer de l'enfant. Mais Wolfe fait signe de la laisser. Peut-être même la fillette est-elle muette, ou on la croit muette parce que la peur la rend incapable de dire un mot. Les hommes la repoussent, mais entre leurs jambes la fillette aperçoit une longue ligne de soldats, qu'on voit d'abord obscurément et hors foyer, mais que les rayons du soleil frappent tout à coup directement, faisant ressortir l'écarlate des tuniques. Le papillon continue son chemin, tandis que l'enfant se met à courir vers les remparts de la ville.

Cette scène, Noël Robert l'imaginait aisément dans tous ses détails. Mais chaque fois qu'il essayait de la traduire en mots, chaque détail se transformait en embûche.

Par exemple, était-il possible qu'il y eût encore des sauterelles un 13 septembre ? Ou qu'un enfant fût debout si tôt le matin ? D'ailleurs, à quelle heure le soleil s'était-il levé ce jour-là ?

C'est alors que Noël Robert se souvint que le vendeur de son ordinateur lui avait remis deux disquettes de logiciels de domaine public. Il en avait fait l'essai rapidement, sans rien y trouver de particulièrement intéressant. Mais il y avait là un logiciel permettant de calculer l'heure du lever du soleil à toute date de l'année et en tout point de la planète. Comment s'appelait ce logiciel ? Noël Robert se lança à la recherche des deux disquettes.

Sur la première, il ne trouva aucun logiciel dont le nom pût avoir le moindre rapport avec le lever du soleil. Dans la seconde, il en trouva un appelé Sunrise. C'était sans doute celui qu'il cherchait. Il lança le programme et comprit rapidement son fonctionnement. Il suffisait d'indiquer la date de l'année — le 13 septembre — et les coordonnées de l'endroit choisi.

Noël Robert ouvrit son atlas, chercha les coordonnées des plaines d'Abraham : 71° 13' de longitude ouest sur 46° 50' de latitude nord. Il les inscrivit dans les cases appropriées, puis pointa la commande «Calculate sunrise». La réponse s'afficha aussitôt à l'écran : «6 :20 AM».

Il quitta le programme Sunrise, revint à son logiciel de traitement de texte et remplaça la ligne «C'est l'aube» par «Six heures vingt du matin, le 13 septembre 1759».

Qu'un enfant fût levé si tôt pour se lancer à la poursuite d'un papillon ne semblait pas impossible.

Toutefois, Noël Robert n'était pas parfaitement sûr que l'heure du lever du soleil à une date donnée ne changeait pas d'une année à l'autre, et à plus forte raison en deux siècles. Il faudrait vérifier ce point avec un astronome. Et consulter un entomologiste au sujet des sauterelles.

Il n'en avait pas moins amélioré sa ligne «C'est l'aube» de façon substantielle et en respectant les deux grandes règles de l'écriture d'après Ray Blanchette : concision et précision.

Ce fut tout pour ce jour-là. Il éteignit l'ordinateur avec la vague satisfaction du devoir vaguement accompli.

Le 12 avril

Depuis une semaine, Noël Robert n'avait guère eu le temps de se préoccuper du scénario. Un juge l'avait condamné à six cents dollars d'amende et à une journée de prison et avait suspendu pour un an son permis de conduire.

Revenu à Saint-Denis, il avait placé une annonce dans un journal de Montréal et vendu la jeep pour à peine plus que le montant de l'amende.

Juste au moment où il se disait qu'il était temps de se remettre au scénario, le téléphone sonna. Roch Marcoux l'invitait à Québec pour la conférence de presse annonçant le projet du film.

Noël Robert détestait les conférences de presse. Mais le producteur promit qu'Alice Knoll y serait.

— Si tu y es pas, insista-t-il, les journalistes vont penser que le scénario va être écrit en anglais.

— Attendez une petite minute.

Noël Robert courut à la salle de bains, se regarda dans le miroir. Les dernières traces d'ecchymoses avaient presque entièrement disparu. Même la plus grande, près de l'oeil gauche, n'était plus qu'une vague tache jaune. Il revint au téléphone.

— Vendredi prochain ? Oui, ça ira.

Le 13 avril

G aston McAndrew avait congé, mais il sortit quand même en uniforme. C'était la sixième fois qu'il retournait voir ce qui s'intitulait pompeusement «Spectacle son et lumière du Musée du Fort». Et il lui aurait semblé irrévéren-cieux ou incongru d'y assister en civil.

Ils n'étaient que dix spectateurs. Quelqu'un ferma la porte et la pièce fut plongée dans l'obscurité, à l'exception de la grande maquette de Québec, sous la lumière des projecteurs.

Gaston McAndrew regarda non sans ennui le début de la présentation — résumant la fondation de Québec et les premiè-res années de son histoire. Mais lorsque la voix enregistrée du commentateur entreprit le récit de la bataille des plaines d'Abraham, il sentit une fois de plus son coeur battre d'ex-citation.

Les petites ampoules électriques qui s'allumaient et s'étei-gnaient pour ponctuer le récit, les nuages de fumée qui s'échap-paient des canons miniatures en synchronisation parfaite avec les coups de canon tonitruants de la bande sonore, tout cela était fort ingénieux. Gaston McAndrew en tirait un plaisir aussi vif que s'il s'était agi de cinéma sur grand écran, et son imagi-nation compensait amplement la modestie de la mise en scène.

Lorsque les plafonniers se rallumèrent et que la plupart des autres spectateurs eurent quitté les lieux, il se leva à son tour. Il crut remarquer que deux jeunes filles — âgées de dix-huit ans, sûrement pas davantage — traînaient avec lui derrière les autres. Il leur adressa un sourire discret. Elles répondirent par un sourire engageant.

— *Hi,* fit l'une d'elles, la brune.

— *Hi,* murmura-t-il.

La blonde se contenta de sourire plus largement encore. Il les suivit dans la boutique des souvenirs. La brune le dévisageait sans se gêner.

Il hésita. Leur offrirait-il un verre, à toutes les deux ? Il se débrouillait juste assez bien en anglais. Il pourrait ensuite les inviter à dîner au restaurant. Il se mit à imaginer que les deux jeunes filles partageaient la même chambre — au Château Frontenac, comme tant de touristes américains. Et que la brune l'inviterait à monter avec elle. Ou même que les deux l'emmèneraient là-haut, dans une de ces chambres qu'il imaginait vastes et luxueuses, avec vue sur le fleuve.

Les deux filles restaient là, à faire semblant d'examiner des cartes postales, comme si elles attendaient un signe de sa part.

Comment les aborder ? Par «Hello, my name is Gaston McAndrew». Mais devait-il dire «Gaston Macannedrou» comme en français, ou prononcer à l'anglaise «Gastonn McAndrew» ?

«C'est compliqué de parler à des Anglaises», conclut-il en descendant l'escalier à toute vitesse. Sorti sur la place, en bas, il fit encore une vingtaine de pas avant de se retourner. Les jeunes filles débouchaient sur le trottoir et semblaient le chercher des yeux.

Il hésita encore, faillit revenir vers elles, mais vit qu'elles l'avaient repéré de nouveau. Il continua plutôt en direction de la terrasse Dufferin, où il entra dans le portique du funiculaire, en se jurant que si elles le rattrapaient avant que le funiculaire ne descendît, il leur parlerait sans faute.

Mais le funiculaire amorça sa descente sans les jeunes filles.

Et Gaston McAndrew se sentit, somme toute, encore plus soulagé que déçu.

Le 19 avril

P our Noël Robert, l'événement le plus mémorable de la journée fut le bref instant pendant lequel il sentit la cuisse d'Alice Knoll contre son genou.

En fait, la conférence était alors terminée. Roch Marcoux les avait invités, avec les principaux artisans du film, à boire le champagne au bar de l'hôtel.

Noël Robert avait fait exprès de s'asseoir près de sa coscénariste, plus pour s'affirmer comme scénariste que pour s'asseoir près de la seule femme du groupe.

Alice Knoll n'avait rien pour l'attirer. Elle était mince et adoptait une posture raide et distante. Son visage était osseux, dominé par une dentition imposante et impeccablement blanche. Noël Robert s'était dit qu'en photo — il n'avait vu que celle qui ornait la couverture d'un de ses romans — elle ressemblait à la reine Élisabeth II jeune, avec son allure chevaline. Mais elle avait un regard vif, intelligent et insolent et un sourire ironique qui la démarquait clairement de la famille Windsor.

Il n'en fallut pas plus pour rassurer Noël Robert : Alice Knoll n'aurait aucun mal à écrire le scénario du film, qui, d'après le cahier de presse, serait la plus grande production cinématographique jamais entreprise au Canada. Le budget dépasserait quarante millions de dollars, pour les quatre versions : cinéma et téléfilm, en français et en anglais.

Comme Noël Robert semblait examiner avec inquiétude le communiqué de presse, Roch Marcoux précisa qu'il n'aurait qu'à se préoccuper du cinéma. Le scénario pour la télévision serait confié à une équipe de vieux scénaristes de métier, des gens «pas très inspirés, mais dignes de confiance».

Ce qui inquiétait Noël Robert, c'était plutôt la date du tournage : le 13 septembre, jour anniversaire de la bataille. Dans cinq mois seulement ! Jamais il n'avait fait cinquante mille dollars en si peu de temps, mais il n'y arriverait pas s'il lui fallait plus d'une semaine pour écrire «Six heures vingt du matin, le 13 septembre 1759».

Alice Knoll parlait un excellent français, car elle avait vécu deux ans à Paris. Pour sa part, il parlait bien l'anglais, parce qu'il avait obtenu son tout premier emploi dans une grande agence de publicité montréalaise.

Il lui demanda si elle préférait travailler seule ou avec lui.

— Je pense que si nous devons faire ce scénario ensemble, répondit-elle, il nous sera difficile de ne pas travailler ensemble.

— D'accord. Où est-ce qu'on pourrait se rencontrer ? À Montréal ou à Toronto ?

— Pourquoi pas à Kingston ?

— C'est un compromis parfaitement raisonnable.

— Je dois y aller dans deux semaines pour une conférence. Cela m'évitera de dormir dans une chambre d'étudiante. Je suis sûre que la production peut s'occuper des réservations de chambres, ajouta-t-elle à l'intention de Roch Marcoux, qui écoutait sans le moindre souci de discrétion.

— Une, ça suffirait ? demanda le producteur avec un sourire entendu.

— Deux, dit fermement Noël Robert.

— Viens souper, Gaston, insista sa mère à travers la porte de la chambre.

— Oui, j'arrive, geignit Gaston McAndrew en rajustant la boucle de son ceinturon.

Il sortit et adopta un pas martial dans le corridor qui menait à la cuisine.

La soupe était déjà servie. Une coupure de journal était posée à côté de son bol.

— As-tu vu, dans le journal ? Je t'ai découpé un article parce qu'ils vont faire un film sur les plaines d'Abraham.

— Ah ?

— Il paraît qu'ils vont engager des figurants. Tu devrais donner ton nom. Ça te ferait bien paraître pour ton lieutenant. Puis j'aimerais ça, te voir au cinéma.

— Je pense que mon lieutenant s'en sacre, mais je vais donner mon nom, si ça peut te faire plaisir, dit Gaston McAndrew.

La soupe était tiède, comme d'habitude et comme il la détestait. Mais il parvint comme d'habitude à la manger sans grimacer.

Le 27 avril

P arce qu'il avait lui-même la coquetterie d'être toujours
à l'heure sauf lorsqu'il s'agissait de rentrer à la maison,
Noël Robert avait horreur d'attendre — surtout, consta-
tait-il maintenant, dans une chambre d'hôtel aussi anonyme.

Alice Knoll avait promis de lui téléphoner dès son arrivée,
dans l'après-midi.

Mais il l'attendit jusqu'à huit heures du soir. Et le téléphone resta muet.

L'appétit le força à sortir. Par hasard, il tomba sur un
restaurant plutôt bon, où il eut la sagesse de commander ce
qui lui parut être des spécialités ontariennes, comme la truite
fumée et la tartinade de Stilton, arrosées d'un vin de l'Ontario
qui n'avait pas du tout le goût qu'il attendait d'un vin de l'Ontario.

Lorsqu'il rentra à l'hôtel, on lui remit une note griffonnée
en français sur un bout de papier plié en deux.

«Suis prise ce soir. Désolée. Demain, en fin de journée ?
Amitiés. A. K.»

Noël Robert grimaça. Il n'appréciait pas du tout le vague
«fin de journée». Cela voulait-il dire vers quatre ou cinq heures,
ou après le dîner, ou même en fin de soirée ? Quant au point
d'interrogation qui suivait, signifiait-il qu'elle lui demandait
s'il pouvait se libérer ou exprimait-il qu'elle n'était pas sûre
d'y être elle-même ?

Maussade, il demanda de quoi écrire et laissa une note
en anglais : «D'accord pour demain 5 heures, chambre 654.
N.R.»

Il monta dans sa chambre, alluma la télé, fit le tour des chaînes sans rien trouver d'intéressant. Il téléphona à France, juste pour voir si elle était à la maison.

— Puis, comment ça a été ? lui demanda-t-elle.

— Très bien.

Quelques instants plus tard, lorsqu'il raccrocha, il eut un peu honte de lui avoir caché qu'il n'avait pas vu sa coscénariste. Mais il aurait eu encore plus honte de le lui avouer.

À cinq heures, Alice Knoll eut au moins la délicatesse de téléphoner à Noël Robert pour lui dire qu'elle ne serait pas libre avant huit heures et qu'il ferait mieux d'aller dîner sans elle.

Il y avait dans la chambre un magazine rempli d'annonces de restaurants, mais il ne trouva rien d'intéressant. Il sortit, chercha dans le vieux Kingston un autre restaurant, mais n'en trouva aucun de rassurant. Il retourna à celui de la veille, y mangea sensiblement la même chose et y but exactement le même vin. Il fut de retour à sa chambre avant sept heures et demie.

Alice Knoll lui téléphona une heure plus tard, lui dit qu'elle serait prête à neuf heures et qu'il pourrait la retrouver à la chambre 914.

Il l'invita plutôt à descendre chez lui, lorsqu'elle aurait terminé. Elle n'insista pas et promit de venir à neuf heures.

À neuf heures et quart, elle frappa à sa porte. Il la fit entrer.

— Ah ! s'exclama-t-elle en apercevant aussitôt l'ordinateur posé sur le secrétaire, c'est pour ça que tu tenais à ce que je descende à ta chambre. Moi qui me faisais des idées.

— Oui, dit-il en se demandant s'il rougissait.

— Tu penses qu'on va vraiment mieux travailler en présence de ce machin ?

— Tout ce que je sais, c'est que depuis que j'ai un ordinateur je suis incapable d'écrire au stylo ou à la machine.

Il ne précisa pas qu'il n'était pas parvenu à écrire plus de deux lignes avec l'ordinateur. Il était convaincu qu'il en serait capable dès qu'elle lui donnerait quelques idées de départ.

— Pas d'objection. J'en aurai un peut-être, un jour. Mais, pour l'instant, mon crayon me suffit. La seule chose que nous devons décider, c'est sous quelle forme nous allons présenter notre scénario. Au crayon ou à l'ordinateur ?

— Il me semble qu'il serait plus simple que je le rédige sur le Macintosh. Comme ça, on pourrait...

— Parfait.

Noël Robert s'installa devant l'ordinateur, régla au maximum le niveau de luminosité de l'écran. Il se releva, alla chercher une autre chaise qu'il posa près de la sienne. Mais Alice Knoll préféra s'installer dans le fauteuil capitonné, à l'autre bout de la pièce.

— Qu'est-ce que vous voulez que j'écrive ? dit Noël Robert avec une ironie qu'il souhaitait évidente.

— Ce que tu voudras. De toute façon, il est tard, et je pense que nous n'arriverons pas à grand-chose ce soir. Si on allait dîner ?

— D'accord, acquiesça Noël Robert, qui oubliait qu'il venait de manger.

— Je connais un restaurant extraordinaire, le meilleur de Kingston.

— Allons-y, proposa Noël Robert même s'il se souvenait enfin qu'il avait dîné.

Il mangea donc, pour la troisième fois en deux jours, au même restaurant, commanda les mêmes plats, arrosés du même vin. Cette fin de soirée avec Alice Knoll ne lui sembla pourtant pas dépourvue d'intérêt. Mais il ne parvint pas une seconde à lui faire parler du projet de film, comme si elle avait jugé qu'il était inconvenant de parler de travail pendant les repas.

Ils rentrèrent à l'hôtel à onze heures passées. Dans l'ascenseur, elle l'invita à prendre le coup de l'étrier dans sa chambre.

— Non, il est tard.

Il prit un air embarrassé.

— Quelque chose ne va pas ? demanda-t-elle.

— C'est que je dois partir tôt demain matin. J'ai un rendez-vous avec mon ancien patron. Et j'ai promis à ma femme que je serais là demain soir. Il faut que je prenne le train de dix heures.

Aussitôt dits, il regretta ces mensonges. Mais il se sentait incapable de passer une journée encore à Kingston à attendre.

— Comme tu voudras. Je t'avais pourtant réservé toute ma journée de demain. Mais ce n'est pas grave, j'ai des tas d'autres choses à faire. On se reparle la semaine prochaine ?

— Très volontiers.

Il sortit de l'ascenseur au sixième, tandis qu'elle continuait. Dans sa chambre, il s'étonna de ne pas se sentir vengé.

Le 7 mai

Noël Robert avait tenté de se défiler lorsque Roch Marcoux lui avait offert d'accompagner à Québec le réalisateur, Luc Augeay. Il s'agissait de jeter un coup d'oeil au véritable champ de bataille des plaines d'Abraham. Le producteur lui avait d'abord proposé d'y aller le mercredi suivant. Pas de chance : Noël Robert venait justement de s'inventer un rendez-vous important ce jour-là. Le jeudi ferait aussi bien l'affaire, avait admis Roch Marcoux. Incapable d'improviser un second mensonge, Noël Robert n'avait eu d'autre choix que d'accepter.

Luc Augeay devait passer le prendre chez lui à huit heures. Il y fut un peu après neuf heures, dans une BMW prématurément vieillie. Il était accompagné de Miville Laliberté, le directeur de la photographie, ce qui força Noël Robert à prendre place — suprême désagrément — sur la banquette arrière.

— Préfères-tu être en avant ? avait proposé Miville Laliberté gentiment.

— Non, non, avait menti Noël Robert.

Lorsqu'ils arrivèrent à Québec, Luc Augeay proposa de casser la croûte d'abord, ce qu'ils firent dans un restaurant de la Grande-Allée, près du parc des Champs de Bataille.

Ils se rendirent ensuite au centre d'interprétation du parc, où un jeune homme leur remit un petit plan du champ de bataille.

Le nez plongé dans le dépliant, Luc Augeay se précipita à l'extérieur, se mit à arpenter l'immense pelouse.

— Rien à faire, répétait-il à tous les cent pas.

Il retourna à la Grande-Allée et s'arrêta sur la ligne blanche au milieu de la chaussée.

— Voilà, c'est ici, lança-t-il à l'intention de ses deux compagnons sans quitter des yeux le plan qu'il avait à la main. Le centre des Anglais était juste là, et celui des Français par là-bas.

Les deux autres le suivirent au milieu de la rue. Quelques voitures les frôlèrent. Un automobiliste klaxonna rageusement. Luc Augeay se contenta d'un grand geste du majeur, en gardant le nez dans son plan.

— Regardez, la Grande-Allée, c'est cette rue-là. Puis, même là, où était le centre des Anglais, c'est tout construit. Comment est-ce que Roch Marcoux pense qu'on peut tourner une bataille du XVIIIe siècle dans une ville pareille ? Y a des limites à cadrer serré...

— Il a seulement dit de venir voir si on pouvait tourner sur les lieux, dit Miville Laliberté d'un ton conciliant.

La circulation devenait de plus en plus menaçante, les automobilistes se rendant compte que les trois énergumènes au milieu de l'avenue étaient là délibérément.

Luc Augeay se laissa enfin tirer par la manche et ils revinrent tous les trois sur le trottoir. Ils retournèrent au parc des Champs de Bataille.

— Qu'est-ce que tu veux qu'on fasse ? gémit encore Luc Augeay en regardant la pelouse soigneusement entretenue. Même si ça avait été seulement ici la bataille, y aurait rien à faire, avec tous ces maudits monuments. Même Jeanne d'Arc, qui est là comme si elle avait été là...

Effectivement, le monument le plus visible était édifié à la mémoire de la pucelle d'Orléans, que des touristes américains regardaient avec admiration, comme si elle avait pris part à la bataille, du côté des Anglais.

Ils retournèrent au centre d'interprétation et examinèrent soigneusement la grande maquette de la ville actuelle.

Un autre animateur s'approcha d'eux.

— Vous avez besoin de renseignements ?

— Oui, répondit Luc Augeay en montrant d'un grand geste les bâtiments modernes de la maquette. Qui est-ce qu'on doit voir pour obtenir la permission de faire démolir cette partie-là de Québec ?

— J'en sais rien, répliqua l'animateur en souriant. Tout ce que je sais, c'est que je travaille pour le Gouvernement fédéral, et que ça doit être provincial ou municipal.

— C'est ça, c'est toujours les autres, grogna Luc Augeay. Il va falloir trouver un endroit qui ressemble exactement à ça, mais sans constructions.

Il examina longuement la maquette, le temps de bien se rappeler la configuration du terrain.

— Vous êtes de Québec ? demanda-t-il encore à l'animateur.

— Oui, c'est un emploi régional. Je suis de Beauport.

— Vous connaissez un endroit à peu près comme ça, à côté du fleuve, sur cette rive-ci, mais qui serait pas du tout construit ?

— À mon avis, ça pourrait se trouver du côté de Neuville. Sauf que, par là, le fleuve est peut-être un peu moins large.

— C'est pas grave, on le fera élargir, ça créera des emplois régionaux. Venez, on va aller voir ça.

***

Le paysage s'étendait des deux côtés d'une route dépourvue d'attraits. Mais Luc Augeay ne regardait qu'à gauche, du côté du fleuve. Deux fois, il avait dit «Ici, peut-être» et ralenti quelques instants, avant d'accélérer de nouveau. Un peu plus loin, juste après Neuville, il s'était garé sur le côté gauche de la route.

Il était descendu de voiture avec Miville Laliberté et avait contemplé le paysage.

— Je pense que ça pourrait aller, par ici. Il faudrait faire déménager cette maison-là, puis faire démolir la grange. Mais ça me semble être la bonne largeur. Qu'est-ce que tu en penses, Miville ?

— Oui, c'est pas mal. Mais le vrai champ de bataille devait être pas mal plus plat.

— Ça, ça peut toujours s'arranger avec des bulldozers.

— D'après l'historien, précisa Noël Robert par la fenêtre de la voiture, il y avait un petit monticule juste devant la ligne des Anglais.

— Bulldozers, dit Luc Augeay avec un geste de la main qui figurait cent bulldozers entassant de la terre à l'endroit voulu.

— Mais l'herbe n'aura jamais poussé à temps pour tourner en septembre, protesta Miville Laliberté.

— On tournera pas en septembre, de toute façon. Pas de cette année, en tout cas.

Sur la banquette arrière, Noël Robert poussa un profond soupir de soulagement.

***

En rentrant à Montréal, Luc Augeay avait demandé à son directeur de la photographie pourquoi il avait accepté ce tournage.

— À cause de mon dos. J'ai une scoliose, et les médecins m'ont dit que chaque fois que je fais un film avec une caméra à l'épaule, je me rapproche du fauteuil roulant. Ça fait que j'ai décidé de faire chaque année un petit film pour le plaisir. Puis un gros film avec caméra sur chariot, pour l'argent et pour ma santé.

— Il va falloir que tu t'en trouves un autre pour cette année.

— Je pourrai toujours faire de la publicité.

Un peu plus loin, sans doute parce qu'il se rendait compte qu'il n'avait pas accordé assez d'attention au scénariste, Luc Augeay demanda à Noël Robert :

— Et toi, qu'est-ce que tu fais dans ce film ?

— Je me le demande, des fois. Je pense que ce qui m'intéressait, c'est que je n'avais jamais fait de cinéma.

— Ah bon ! C'est parce que j'ai lu ton livre, et je me demandais...

Luc Augeay ne précisa pas sa pensée.

— Le scénario, ça progresse ? demanda-t-il quelques instants plus tard.

76

— Pas tellement. J'ai un peu de mal avec Alice Knoll, qui n'est pas souvent là. Et je n'arrive pas à trouver un fil conducteur.

— Y a beaucoup de scénaristes qui pensent qu'un film c'est d'abord de l'action. Je suis pas d'accord. Ce qui compte le plus, c'est les personnages. Si on se met à leur place, on entre dans le film. Donne-moi de bons personnages, et je te donnerai un bon film.

Le 12 mai

Lorsqu'il se leva, vers dix heures, Gaston McAndrew trouva sa mère assise devant le journal du samedi, étalé sur la table de la cuisine.

— As-tu lu, dans le journal ?

— Je peux pas l'avoir lu, je me lève, dit-il sur un ton bougon qu'elle ne remarqua pas.

— Le film sur les plaines d'Abraham, qu'ils devaient faire cet automne, c'est retardé à l'année prochaine.

— Je savais pas.

— Paraît qu'ils vont reconstruire les plaines d'Abraham du côté de Neuville. Ça va coûter un million juste pour faire niveler le terrain. Puis après ça, ils vont faire un parc d'amusement. Ils vont rejouer la bataille tous les matins, pendant l'été, pour les touristes.

— C'est une bonne idée, dit Gaston McAndrew en s'emparant du journal.

***

Alexandre Anastase avait mal dormi, cette nuit-là. Ou plutôt, il avait dormi comme d'habitude — ni mal, ni bien. Mais il avait un sale caractère, dont il n'usait plus qu'avec lui-même depuis qu'il ne voyait pratiquement jamais personne.

Il préférait donc croire qu'il avait mal dormi cette nuit-là. Et il grogna lorsque la sonnerie de la porte le força à se lever.

79

— Qui est-ce qui peut bien sonner à ma porte à cette heure ? se dit-il à voix haute, du ton un peu précieux qu'il adoptait toujours pour se parler à lui-même comme aux autres.

Il se leva sans trop se presser, chercha des yeux la veste de son pyjama, ne la trouva pas et renonça. Le pantalon suffirait.

La sonnerie retentissait une seconde fois lorsqu'il arriva à la porte. Il l'ouvrit. Un soldat se tenait sur le palier.

Il avait souvent rêvé tout éveillé à une scène semblable, mais dans son rêve il y avait plusieurs soldats qui se précipitaient dans son appartement en le bousculant.

Aujourd'hui, le soldat était seul, bien jeune et de toute évidence intimidé. Alexandre Anastase reconnut le visage de chérubin du fils de sa voisine du dessus, qu'il n'avait jamais remarqué avant qu'il se fût mis à porter, deux ou trois ans plus tôt, un uniforme qui jurait tellement avec son allure d'enfant sage qu'il était devenu impossible de ne pas le remarquer.

Ils restèrent face à face quelques instants, à s'observer mutuellement, car ils ne s'étaient jamais vus de si près, sauf dans l'escalier. Mais lorsqu'ils s'y croisaient, l'un comme l'autre baissait les yeux et faisait semblant de regarder où il mettait les pieds.

— Vous êtes historien ? demanda enfin le jeune homme.

Alexandre Anastase tendit le cou hors de son appartement pour s'assurer que le carton jauni qui portait son nom suivi de la mention «historien» était toujours fixé par une punaise à l'encadrement de la porte, sous le bouton de la sonnerie. Il l'était.

— C'est bien la première fois, depuis douze ans que j'habite cet immeuble, que quelqu'un semble s'intéresser à ma profession. Qu'est-ce que je peux faire pour vous, mon brave ?

C'était la première fois qu'il disait «mon brave» à quelqu'un. Mais cela lui semblait tout indiqué pour s'adresser à un militaire avec une ironie certaine mais néanmoins irréprochable.

— Vous avez quelque chose sur les mousquets ?

— Les mousquets ?

— Je cherche des images de mousquets de l'ancien temps.

— Ah bon ! Les mousquets... Je dois avoir quelque chose là-dessus, oui. Entrez donc.

En 1970, lors de la crise d'Octobre, Alexandre Anastase avait été déçu de ne pas avoir été arrêté. Il admettait, lorsqu'il y songeait sérieusement, qu'il n'y avait eu aucune raison pour qu'on jetât en prison un professeur d'histoire dont l'enseignement subtilement corrosif n'en demeurait pas moins absolument inoffensif. N'empêche qu'il regrettait amèrement d'avoir laissé passer cette occasion d'entrer modestement dans l'histoire. Et voilà que maintenant un soldat au visage d'enfant entrait chez lui, à la recherche d'illustrations de vieux mousquets. Il ne s'en étonna pas, en ressentit même une légère excitation, comme si l'histoire, enfin, était venue frapper à sa porte après qu'il l'eut tant attendue.

— Les mousquets, vous dites ? Vous avez quelque chose de plus précis en tête ? demanda-t-il en s'arrêtant au milieu du salon.

Le long de trois murs s'empilaient des boîtes de carton pleines de livres couchés sur le côté pour qu'on puisse en lire les titres sans se tordre le cou.

— Ce qui m'intéresserait, c'est les mousquets anglais, vers 1760.

— À l'époque de la Conquête, donc ? Par exemple, ceux que les Anglais ont utilisés lors de la bataille des plaines d'Abraham ?

— Ça pourrait être ça.

— Suivez-moi au XVIIIe.

Le soldat remarqua, fixé par une punaise sur la partie supérieure de l'encadrement de la porte ouvrant sur la chambre où il suivit l'historien, un carton jauni sur lequel s'inscrivait le chiffre XVIII en caractères gothiques.

— Oui, expliqua Alexandre Anastase qui aimait bien expliquer les choses même quand on ne lui demandait pas d'explication, j'ai identifié chaque pièce. Cela facilite grandement mes recherches. Le petit boudoir, au fond, c'est le XVIIe et tout ce qui précède. Le XIXe, c'est le salon. Et le XXe est à la cuisine.

Alexandre Anastase lui désigna la cuisine-XXe-siècle d'un coup de nez méprisant. C'était la seule pièce sans livres, tandis que tous les autres murs étaient presque entièrement cachés par des rayons de bibliothèque bien garnis ou des boîtes de livres.

— Je n'aime pas beaucoup le XXe, expliqua encore l'historien, comme si le jeune homme lui avait posé la question.

Ils entrèrent dans sa chambre-XVIIIe-siècle. Le lit — planche de contre-plaqué soutenant un matelas fatigué — était posé sur des piles de bouquins.

— Je crois que j'ai quelque chose par là. Non, par ici.

Alexandre Anastase circulait à quatre pattes autour du lit.

— Voilà ! s'exclama-t-il triomphalement. Soulevez-moi le lit un petit peu.

Le soldat saisit un bord de la planche, s'arc-bouta, la souleva sans difficulté.

— Je l'ai. Tenez-moi ça encore quelques instants.

Alexandre Anastase avait pris un livre au milieu de la pile qui soutenait le coin de son lit. Il se releva et chercha dans une des boîtes le long du mur un livre de même épaisseur, qu'il mit à la place du premier.

— Ça va.

Le soldat redescendit la planche doucement.

Alexandre Anastase avait déjà le nez plongé dans le volume poussiéreux. C'était de toute évidence un vrai vieux livre, qu'il referma et tendit au jeune homme.

— Oui, c'est bien ça, si c'est le Brown Bess des Anglais qui vous intéresse.

Bessie, the Empire Builder, proclamait le titre de la couverture. Gaston McAndrew ouvrit le livre, illustré de vieux dessins techniques.

— J'ai peut-être autre chose sur les canons. Attendez voir...

— Non. Les canons, ça m'intéresse pas.

— Vous êtes sûr ?

— Oui. Est-ce que vous pouvez me le prêter jusqu'à demain ?

— Je vous le donne, si vous voulez.

— Pour vrai ?

Le jeune homme avait dans le regard une telle expression de surprise et de gratitude qu'Alexandre Anastase en fut gêné.

Il n'avait jamais appris à réagir face à la reconnaissance des autres, probablement parce qu'il avait rarement eu l'occasion d'en être l'objet.

— Je n'en ai pas du tout besoin. Qu'est-ce qu'on peut bien vouloir faire avec un livre comme ça ?

Le jeune homme serra les lèvres.

— Bon, eh bien, je vous souhaite une bonne lecture.

Alexandre Anastase ne tenait pas à congédier le jeune homme, mais il était incapable de rester en présence de quelqu'un sans parler, et il ne savait plus quoi dire au soldat peu loquace.

— Merci beaucoup, monsieur Anastase.

— Voilà, dit l'historien en arrivant à la porte laissée ouverte sur le palier.

— Merci beaucoup, répéta le jeune homme, en tendant la main assez timidement pour qu'on ne la remarque pas.

Alexandre Anastase, aussi timidement, fit semblant de ne pas remarquer la main à demi tendue et referma la porte sans mot dire.

«C'est une bien petite ville, Québec, songea-t-il. Il suffit qu'on annonce qu'on va tourner un film pour que tout le monde se passionne pour la bataille des plaines d'Abraham.»

**

Dans sa chambre, Gaston McAndrew se plongea dans *Bessie, the Empire Builder*.

Il était ravi : le mousquet «Long Land Pattern Musket», surnommé Brown Bess ou Bessie, avait bel et bien équipé les armées anglaises au milieu du XVIIIe siècle. Il apprit que le fusil s'appelait «Long» parce que son canon mesurait quarante-six pouces, tandis que celui d'un modèle ultérieur, le «Short Land Pattern Musket», en mesurait quarante-deux ; et que le mot «Land» précisait qu'il s'agissait de l'arme des armées de terre. Quant au mot «Pattern», il signifiait que cette arme avait été la première fabriquée par l'intendance anglaise selon un modèle unique, pour équiper toute l'armée, alors qu'auparavant la commande des mousquets était la responsabilité des colonels de chaque régiment. Il s'étonna surtout que l'origine du surnom Brown Bess fût complètement oubliée.

Le 14 mai

Heureusement, Gaston McAndrew n'était pas de service ce week-end-là, parce que la lecture du volume lui prit presque deux jours entiers et une soirée. Il lisait lentement, surtout en anglais. Et il devait souvent consulter un petit dictionnaire pour tenter de comprendre le sens de mots comme «flintlock» ou «goosenecked cock». Le dictionnaire ne donnait pas souvent une traduction claire de ces termes techniques. Mais cela n'empêchait pas Gaston McAndrew de l'ouvrir encore, chaque fois qu'un nouveau mot mystérieux se présentait à lui.

Le dimanche soir, Gaston McAndrew termina enfin sa lecture. Il ouvrit le volume aux pages centrales, qui se dépliaient en une grande planche de quatre panneaux représentant le «Long Range Pattern Musket» sous quatre angles différents : du côté droit, de dessus, de dessous et du côté gauche. La baïonnette n'était représentée que du côté gauche, dans une petite gravure distincte.

Il prit du papier oignon, qu'il fixa avec du ruban gommé sur les pages ouvertes, et entreprit lentement d'y tracer les cinq dessins. Mais par deux fois la pointe de son crayon déchira le papier. Il changea de méthode. Il prit sa règle et, après avoir calculé que, si le canon mesurait quarante-six pouces, le mousquet entier devait en mesurer soixante-trois, il entreprit, en appuyant tout doucement sur son crayon, de dessiner directement sur les quatre pages du livre un quadrillage de soixante-trois carreaux coïncidant avec la longueur du mousquet et recouvrant les quatre vues de l'arme et celle de la baïonnette.

Ce travail terminé, il mit bout à bout, avec du ruban gommé, six feuilles de papier quadrillé.

Lorsqu'il acheva d'y reporter la première silhouette du mousquet, il remarqua que sa mère avait éteint le téléviseur.

Il remit au lendemain la reproduction des autres dessins de l'arme, et se coucha. Juste avant de fermer les yeux, il songea que le dessin de l'arme vue du côté droit suffirait. Sur cette constatation, il s'endormit comme un ange.

Noël Robert avait une suprême horreur des livres de psychologie populaire. Mais sa femme en était friande. France, par exemple, utilisait souvent une technique de discussion conjugale qu'elle avait dû, Noël en était convaincu, glaner dans un guide du genre *Jouez la carte gagnante dans vos amours* ou *C'est au lit que vous vaincrez*.

Pour discuter avec lui d'un sujet particulièrement délicat (ce qui revenait souvent à lui communiquer ses exigences ou ses ordres), elle attendait l'occasion de faire l'amour. Elle s'installait au-dessus de lui et n'abordait le sujet que lorsqu'elle le sentait prêt à éjaculer.

— De quoi elle a l'air, Alice Knoll ? demanda-t-elle cette nuit-là en s'immobilisant au moment critique.

Noël ne dit rien, essaya de compenser par ses propres mouvements l'immobilité soudaine de sa femme.

— Hein, de quoi elle a l'air, Alice Knoll ? répéta France en opposant son bassin à tout mouvement du pénis de son mari.

— D'une Anglaise, répondit-il enfin.

— Comment ça ?

— Beaucoup de dents et beaucoup d'os.

— Ce n'est pas de ça qu'elle a l'air sur les photos à l'endos de ses livres.

— Ils prennent toujours de vieilles photos. Ou de bons photographes.

Il tenta de reprendre son va-et-vient. Mais France le bloqua aussitôt.

— Il y a une chose que je veux que tu saches : tes petites aventures avec des petites connes, ça me dérange pas trop tant que tu me donnes pas de maladies. Mais si jamais je te prends avec une femme comme Alice Knoll, c'est le divorce. Tu sais ce que ça veut dire ?

Noël Robert savait ce que cela voulait dire. Le déménagement hors de cette maison qu'il aimait et une demi-pauvreté pour laquelle il se sentait peu doué. Il se contenta d'observer les yeux de sa femme dans la pénombre. Après quelques instants, France reprit son mouvement de va-et-vient puis se fit rouler sous lui.

— Il n'est pas trop tard, au moins ?

— Pas trop tard ?

— Ta petite sortie à Kingston avec Alice Knoll. Vous n'avez pas...

— Oh non ! Pas du tout. Je suis sûr que je ne suis pas son genre.

— Ah, parce que tu as essayé de la draguer ?

Il ne se donna pas la peine de répondre et se hâta d'éjaculer.

Le 20 mai

Gaston McAndrew posa le FN sur le morceau de chêne où il avait tracé le contour du Brown Bess.

À l'avant de l'arme, pas trop de problèmes. Il suffisait de tailler le canon du mousquet dans du bois, avec une partie détachable, qu'il retirerait au moment voulu.

Près de la gâchette, le chargeur dépasserait. Mais il n'aurait qu'à garder les chargeurs dans sa poche tant qu'il n'en aurait pas besoin.

Par contre, la poignée pistolet serait impossible à cacher. Il faudrait la faire couper. Où ? Il trouverait probablement en regardant dans l'annuaire des Pages Jaunes, sous la rubrique «Fer ouvragé» ou quelque chose du genre.

Quant à la crosse, l'angle du Brown Bess et celui du FN ne concordaient pas. Il faudrait changer l'angle de la crosse du mousquet pour y insérer celle du FN.

Il passa deux bonnes heures à prendre toutes ces décisions, à trouver toutes ces solutions.

Puis il traça sur le morceau de chêne le nouvel angle de la crosse. Il posa encore le FN sur la silhouette du mousquet. Ça irait très bien.

C'est alors que sa mère entra dans sa chambre sans faire de bruit.

Elle grimaça en examinant la carabine toute neuve posée le long du morceau de bois.

— Il est pas chargé, au moins ? demanda-t-elle pour se rassurer.

— Bien non, il est pas chargé. De toute façon, je le rapporte bientôt.

— Ah bon.

Le 22 mai

Comment le souvenir de Rachel s'était-il infiltré dans ses pensées ?

Lorsqu'il se posa la question, Noël Robert fut d'autant plus incapable d'y répondre que, depuis quelques instants, au souvenir de Rachel s'était ajouté celui de Monique.

Puis le souvenir plus vif encore de Micheline se superposa aux deux autres.

Cela s'arrêta là, car c'étaient, avec France, les seules femmes qui avaient eu une certaine importance dans sa vie. Il avait eu quelques autres aventures éphémères, mais ces quatre femmes étaient les seules qui avaient compté pour lui.

Il avait été marié à Rachel pendant deux ans. Monique avait en quelque sorte fait le pont avant son mariage avec France. Micheline était la seule dont il avait fait la connaissance après son second mariage. Et elle était justement le genre de femme que France n'aurait pas aimé qu'il connût. Elle riait souvent, semblait l'admirer pour des raisons qu'il n'arrivait pas à percer. Elle était douce avec lui. Et il n'avait jamais très bien compris non plus pourquoi elle lui avait un jour remis une note lui annonçant que tout était fini.

Il se rendait maintenant parfaitement compte que ces quatre femmes — France y compris — avaient toutes été impeccables avec lui. Elles avaient été des compagnes agréables, des maîtresses passionnées, et même parfois un peu sa mère quand il paraissait regretter d'être orphelin.

Il lui vint l'idée d'écrire à Rachel, Micheline et Monique une seule lettre avec son ordinateur en apportant simplement les changements nécessaires pour la personnaliser selon chacune des trois destinataires.

«Ma xx chérie», écrivit-il d'abord.

Il n'aurait ensuite qu'à remplacer «xx» par un des trois prénoms.

«Je ne sais trop pourquoi je me suis mis à penser à toi aujourd'hui.»

Il continua, s'efforçant d'écrire une lettre plus amicale qu'amoureuse. Il parla beaucoup de lui — du scénario qu'il écrivait — et ne se gêna pas pour mentionner France. Il n'avait pas envie que l'une des trois — et à plus forte raison les trois — s'imaginât qu'il voulait la revoir et tentât de le relancer.

Lorsqu'il fut satisfait de sa lettre, il en fit une première version pour Rachel ; une deuxième, pour Micheline, dans laquelle il ajouta une allusion à sa note de rupture ; et une troisième pour Monique, dont il retrancha cette allusion.

Il allait mettre l'imprimante en marche lorsque le téléphone sonna. C'était Roch Marcoux, qui voulait simplement des nouvelles du scénario. Il n'y en avait pas. Le producteur ne sembla pas s'en inquiéter outre mesure.

Noël Robert raccrocha. Il imprima les trois lettres, les signa, les glissa dans des enveloppes qu'il scella. Puis il se rendit compte qu'il ne savait plus quelle lettre était dans quelle enveloppe, et que rien ne serait plus indélicat que d'envoyer à Micheline la lettre de Monique et à Monique celle de Rachel.

Il décacheta les enveloppes, les déchira et en prit trois nouvelles sur lesquelles il inscrivit les noms et adresses des destinataires avant d'y glisser les trois lettres. Il plaça les trois enveloppes sur le coin de son bureau et s'efforça de travailler un peu.

France arriva avant qu'il n'ait ajouté plus d'une demi-ligne.

— Tiens, tu as des lettres à poster ? remarqua-t-elle. Justement, je vais au bureau de poste.

Elle prit les enveloppes, les glissa sous une pile de lettres qu'elle avait à la main. Noël la laissa repartir sans mot dire.

Il se souvint alors que France lui avait souvent demandé de lui écrire. Il avait toujours refusé, sous prétexte qu'ils habitaient ensemble et qu'il n'avait rien à lui écrire qu'il ne pouvait lui dire de vive voix.

Il rouvrit la version «Monique» de sa lettre et en fit une quatrième version, qu'il déposa dans une enveloppe près du téléphone du living-room, où il laissait normalement le courrier adressé à France.

Lorsqu'elle rentra, il prêta l'oreille. Il l'entendit déchirer l'enveloppe.

Elle remonta le voir et, sans dire un mot, l'embrassa dans le cou.

Pendant quelques instants, il en ressentit du plaisir. Mais bientôt il fut forcé de se reconnaître comme l'individu le plus dégueulasse de la planète.

Le 23 mai

L'inspecteur Gerry Tousignant s'adonnait, dans son bureau, à son occupation préférée : lancer des punaises sur le mur de liège où il épinglait des notes de service et d'autres documents. Il n'utilisait que des punaises à grosse tête de plastique, pour la simple raison que les punaises ordinaires en métal, à tête plate, refusaient obstinément de se planter dans le mur, même lorsque propulsées par le plus adroit des lanceurs. D'autant plus qu'on risquait de se casser un ongle en essayant de les retirer. Pas étonnant que les responsables des achats de la police de la Communauté urbaine de Québec les aient remplacées par le modèle à tête de plastique.

Comme il passait de nombreuses heures à pratiquer cet exercice, il y réussissait au moins trois fois sur quatre.

Il ne se donnait pas la peine de ramasser les punaises mal lancées qui jonchaient le plancher de son bureau, au grand dam de ses collègues qui marchaient dessus, jusqu'à ce que le capitaine Bernier, supérieur immédiat de l'inspecteur Tousignant, mît le pied sur une de ces punaises et ordonnât à son subordonné de faire le ménage «au plus sacrant». Gerry Tousignant s'exécutait alors sans tarder, donnait un coup de balai rapide sur les surfaces les plus visibles du plancher et remettait dans le tiroir central de son pupitre les punaises en bon état. Il jetait à la poubelle celles qui étaient abîmées, même lorsqu'elles n'avaient que la pointe légèrement tordue, ce qui les laissait parfaitement aptes à remplir leur travail de punaises mais les rendait complètement incapables de se planter dans un mur de liège, fussent-elles lancées par la main la plus adroite.

Gerry Tousignant prétendait que cet exercice innocent lui permettait de réfléchir, en plus d'aiguiser sa dextérité si utile pour le tir au revolver ou l'utilisation de plus en plus inévitable des claviers d'ordinateur, qu'il n'avait pourtant jamais touchés. Mais, ce matin-là, comme d'habitude lorsqu'il lançait des punaises dans son mur de liège, l'inspecteur Gerry Tousignant ne réfléchissait pas du tout.

Sur son pupitre, quelques dossiers dormaient. Rien d'intéressant. Une petite vieille violée par un maniaque. Une femme tuée par son mari, au sujet duquel on avait lancé un avis de recherche — que pouvait-on faire de plus ? Et trois cambriolages, fort probablement commis par la même personne, qu'il aurait été possible de retrouver rapidement si l'inspecteur Gerry Tousignant s'était donné la peine d'enquêter au lieu de lancer des punaises sur son mur de liège. Mais jamais une affaire de cambriolage n'avait fait la gloire d'un enquêteur, sauf lorsqu'il s'agissait de tableaux ou de bijoux de grande valeur. Il était ici question d'un vulgaire voleur spécialisé dans les magnétoscopes.

Lorsque le téléphone sonna, l'inspecteur Gerry Tousignant rêvassait donc devant son mur de liège transformé en pelote d'épingles. Comme à son habitude, il lança encore deux punaises, le temps que le téléphone sonne encore deux fois, pour montrer à la personne qui lui téléphonait qu'il avait autre chose à faire que de répondre au téléphone.

— Allô ?

— Une affaire de vol d'armes à la citadelle. Tu peux aller voir ça ?

— Ouais, cet après-midi.

— Tout de suite. Pour l'armée, c'est toujours tout de suite, compris ?

— Correct.

— Demande le colonel Beaulac.

L'inspecteur Gerry Tousignant poussa un profond soupir, se leva et lança encore les deux punaises qu'il lui restait à la main avant de sortir de son bureau.

***

Gerry Tousignant n'avait vu le colonel Beaulach que

quelques secondes, le temps de se faire préciser que ce nom s'épelait avec un «h» et de se faire confier aux bons soins du major Grégoire, qui l'avait emmené dans les voûtes de l'arsenal.

Le major Grégoire lui montra le livre d'inventaire des armes légères, soigneusement tenu par le magasinier, un jeune homme au visage d'enfant de chœur. Il était bien inscrit qu'il devait y avoir deux cent soixante-seize FN. Pourtant, il n'y en avait plus que deux cent soixante-quinze sur les supports, le long du mur.

Gerry Tousignant jeta un coup d'oeil sous les meubles. Sait-on jamais ce qu'on peut trouver sous un meuble.

— Nous avons fouillé partout, dit le major Grégoire d'un ton pincé.

— On sait jamais ce qu'on peut trouver sous les meubles, grogna Gerry Tousignant. Tenez, chez moi, par exemple, l'autre jour...

— Le FN n'est pas sous un meuble, interrompit sèchement le major Grégoire.

— Vous êtes sûr de votre inventaire ?

— Le soldat McAndrew est le magasinier le plus fiable de toute l'armée canadienne. Il n'a jamais perdu la trace d'une seule cartouche. S'il dit qu'il y avait deux cent soixante-seize FN, c'est qu'il y en avait deux cent soixante-seize.

— Bon, d'accord, dit l'inspecteur Gerry Tousignant sans s'intéresser au jeune homme au visage si honnête.

Il se promena quelques instants devant les armes bien astiquées et soigneusement alignées sur leurs supports de bois.

— Qui pourrait avoir volé une de ces armes, d'après vous ? demanda-t-il enfin.

— Personne de l'armée, en tout cas, sinon nous n'aurions pas fait appel à la police. Nous soupçonnons des civils.

— Une femme de ménage ? Qu'est-ce qu'une femme de ménage peut faire avec un FN ?

— On ne sait jamais. Ces armes-là valent assez cher au marché noir. Mais je soupçonnerais plutôt les ouvriers qui sont venus refaire la maçonnerie des voûtes, la semaine dernière. Il est possible que le soldat McAndrew ait eu le dos tourné pendant que quelqu'un passait par ici. Un ouvrier aurait pu s'emparer d'une arme, la démonter dans les toilettes et cacher les pièces dans son coffre à outils. C'est le lendemain que McAndrew s'est aperçu qu'il manquait un FN à son inventaire. Il m'a prévenu immédiatement. Autrement, on ne se serait rendu compte de la disparition de l'arme que dans deux semaines, lors de l'inventaire annuel.

— Quel jour c'était ?

— Mardi.

— Et c'est maintenant que vous me prévenez ?

— Nous commençons toujours par faire une enquête interne, pour nous assurer qu'aucun militaire n'est en cause.

Gerry Tousignant regarda un peu plus attentivement le soldat McAndrew, comme pour s'assurer qu'il était possible qu'il eût eu le dos tourné lorsqu'un ouvrier était passé avec l'arme. Le soldat McAndrew rougissait en effet, comme s'il avait été pris en faute.

— C'est une belle arme, dit encore Gerry Tousignant en prenant un FN entre ses mains.

— Théoriquement, six cents coups à la minute, précisa le major en lui reprenant l'arme des mains pour la replacer sur son support. En réalité, notre FN est plutôt une arme semi-automatique, qui ne tire qu'un coup à la fois. Mais tout le monde sait qu'il suffit de mettre un bout d'allumette sous le percuteur pour la transformer en arme automatique.

— Comme ça, on n'a qu'à appuyer sur la gâchette pour tirer sans arrêt comme avec une mitraillette ?

— Oui, sauf qu'il faut changer de chargeur à toutes les vingt balles.

— Il manque des chargeurs ?

— Huit.

— Misère ! De quoi faire un beau tableau de chasse si quelqu'un se mettait à tirer dans la foule du Colisée pendant un match des Nordiques.

— Les fois qu'il y a eu des vols de fusils dans d'autres casernes, c'étaient toujours de simples chasseurs qui les avaient pris, expliqua le major Grégoire en s'efforçant d'être rassurant malgré ses sourcils froncés.

— C'est vrai qu'avec ça c'est difficile de rater un orignal, acquiesça l'inspecteur Gerry Tousignant en connaisseur même s'il n'y connaissait rien.

Il se fit montrer les toilettes, visita tous les lieux par lesquels les maçons auraient pu passer, examina longuement le livre d'inventaire des armes, posa quelques questions au soldat McAndrew qui répondit avec timidité et application, et repartit avec un dossier que lui avait remis le major Grégoire au sujet des employés civils et des ouvriers affectés aux travaux de la citadelle.

***

Gerry Tousignant revint à son bureau après le déjeuner, plaça le dossier du major Grégoire sur son pupitre, quelque part entre le dossier de la vieille violée et celui de la femme assassinée par son mari.

Puis il décrocha toutes les punaises plantées dans son mur de liège et se remit à les lancer avec une vigueur plus grande encore que le matin.

Le 24 mai

Gaston McAndrew attendit le départ de sa mère. Comme chaque fois qu'elle voulait sortir seule, elle lui avait demandé s'il avait envie d'aller prendre un verre avec elle. Mais il avait, comme toujours, refusé.

Elle en avait pour une bonne partie de la soirée. Peut-être pour toute la nuit. À moins qu'elle ne rentre avec un homme, comme cela lui arrivait deux ou trois fois par année.

Gaston McAndrew ne trouva pas tout de suite la carabine qu'il avait cachée derrière ses boîtes de vêtements d'hiver, dans sa garde-robe. Il eut peur qu'elle fût disparue.

Mais elle était toujours là, et il entreprit de la démonter.

Il travaillait méthodiquement, sans se hâter. Il s'y était souvent exercé lorsqu'il n'avait rien d'autre à faire à l'arsenal. Le lieutenant Laflèche, qui l'avait surpris une fois, l'avait félicité de ses efforts pour se familiariser avec son arme. Gaston McAndrew avait rougi de s'être fait surprendre. Le lieutenant Laflèche avait cru que c'était à cause du compliment.

Cette fois, il démonta l'arme en ses plus petits éléments, jusqu'à la plus minuscule des vis, et compta les pièces deux fois.

Il cacha les plus grosses entre le sommier et le matelas. Il alla ensuite à l'armoire à balais, dans la cuisine, où il prit le casier de plastique à minuscules tiroirs dans lesquels il rangeait les vis et autres menus articles de quincaillerie, et y plaça les plus petites pièces de l'arme.

Il était en train de remettre le casier dans l'armoire à balais lorsque sa mère entra, silencieusement comme d'habitude.

— Qu'est-ce que tu fais ?

— Rien, je place des choses, répondit-il évasivement comme d'habitude.

— Moi, j'ai pas été capable de rester longtemps. J'ai rencontré rien que des épais. Des vrais épais. J'ai jamais compris pourquoi les hommes deviennent de plus en plus épais en vieillissant...

Elle prit une mèche des cheveux de son fils, la tordit affectueusement. Il secoua la tête pour se libérer.

Le 6 juin

*F*rance Robert allait en ville. Noël en profita pour se faire déposer chez Blanchette et Woodsman, histoire de régler les derniers détails de son congé sans solde.

Ray Blanchette l'invita à s'asseoir dans son bureau.

— Tu sais, mon cher Noël, que nous sommes très fiers de toi. Et j'aimerais te faire nommer vice-président à ton retour chez nous. Ça fait plus de dix ans que tu travailles ici...

— Treize ans.

— Treize ? Tu dois être notre plus ancien employé ?

— Madame Labrie a quatorze ans de service.

— Le temps passe vite ! Bon, je me suis toujours efforcé de te traiter avec respect. Je reconnais que c'était pas bien difficile, puisque tu écris un français admirable.

— Ce n'est pas tout à fait ça.

— Comment ?

— J'écris le français que nos clients veulent que j'écrive. S'il veulent du français parisien, je leur en mets. S'ils veulent des fautes, je peux leur en donner. Ce n'est pas ce qui s'appelle écrire un français admirable.

— En tout cas, j'ai toujours essayé de te donner la chance de te réaliser chez nous.

— Me réaliser ?

— Oui. Je t'avais nommé chef de la rédaction, il y a quelques années.

— Je n'aimais pas ça.

— Je sais. Et je t'ai rétrogradé sans faire d'histoire et sans diminution de salaire. Je t'avais aussi proposé un poste de chef de groupe.

103

— Je déteste rencontrer les clients.

— Tu sais, mon cher Noël, je sais ce que c'est, ton problème.

— Vraiment ?

Ray Blanchette fit une pause, prit le temps de sortir de son étui à cigarettes un tube blanc qu'il caressa comme pour lui rendre une rondeur qu'il aurait perdue. C'était sa mise en scène habituelle lorsqu'il s'apprêtait à dire quelque chose qu'il jugeait important. Noël Robert fit un effort pour ne pas l'interrompre.

— Tu souffres, dit enfin Ray Blanchette en mettant la cigarette à ses lèvres mais sans l'allumer, du complexe des plaines d'Abraham.

— Le complexe des plaines d'Abraham ?

— Oui. Il y a des millions de Canadiens français comme ça. Parce que les Anglais nous ont battus il y a trois cents ans...

— Deux.

— Deux ?

— Deux cents ans. Un peu plus, mais pas trois cents.

— Oui. À cause de ça, on s'imagine qu'ils sont meilleurs que nous autres. C'est pas vrai. Si on a du talent et si on est prêt à travailler fort, on est capable de réussir aussi bien que n'importe quel Anglais sur la face de l'univers. Y a juste une chose, par exemple...

— Oui ?

— Il faut qu'on se dise qu'on est capable de les avoir, les Anglais. Si on est pas capable de les battre, on a juste à passer de leur bord. J'ai pas eu peur de m'associer à un Anglais, moi, même si tout le monde me l'a reproché, dans le temps. On est aussi bons qu'eux autres. Puis si on veut, on peut être bien meilleurs parce que nous autres, on s'assoit pas sur nos lauriers. Pour la simple raison qu'on en a pas, de lauriers pour s'asseoir dessus. Qu'est-ce que tu veux, on l'a pas gagnée, la damnée bataille des plaines d'Abraham. Puis la meilleure façon d'avoir les Anglais, c'est pas de se battre contre eux, on se ferait encore battre. C'est de se battre avec eux. Contre les Américains du groupe Tucson. Contre les Anglais de Lipton

P.R. Mais je suis en train de faire un discours politique, moi, là...

— Ce n'est pas nécessairement de la politique, dit doucement Noël Robert.

— En tout cas, penses-y, mon cher Noël. Si tu veux devenir un peu plus fonceur, tu seras vice-président chez Blanchette et Woodsman. C'est pas rien.

— J'y penserai, dit Noël Robert en se levant et en se jurant de ne jamais y penser.

En sortant du bureau de Ray Blanchette, il croisa Neil Woodsman, qui lui dit, avec son accent inimitable :

— Soyez juste sûr que les Anglais gagnent.

Noël Robert hocha la tête, mais c'est seulement dans l'ascenseur qu'il comprit la plaisanterie du vieil Écossais.

Surprise ! Alice Knoll était en ville et elle invitait Noël Robert à travailler toute la journée.

Elle était à l'hôtel Bonaventure, où elle avait demandé à Roch Marcoux de lui réserver une chambre. Noël Robert était arrivé avec vingt minutes d'avance et avait attendu un quart d'heure dans le hall avant de demander la chambre de madame Knoll. Ce qui n'avait pas empêché celle-ci d'être encore au lit lorsqu'il avait frappé à sa porte. Elle s'était levée, lui avait dit de s'installer tandis qu'elle faisait sa toilette.

Il avait déposé la mallette de l'ordinateur dans un coin et sorti d'une pochette des feuillets attachés en accordéon.

— Il me semble, dit-il en criant presque pour surmonter le bruit du robinet, que Montcalm devrait être une espèce d'homme à femmes tantôt désabusé, tantôt grisé par sa propre gloire.

— Pas d'objection, dit Alice Knoll en fermant le robinet mais sans sortir de la salle de bains.

— Dans la première scène où on l'aperçoit, il est au lit.

— Avec une femme, bien entendu ?

— Non. Tout seul. Le jour n'est pas encore tout à fait levé. On sent qu'il n'a dormi qu'une heure ou deux. Et une femme vient le trouver.

— Quelle femme ?

— Je ne sais pas. C'est peut-être la bonne ou sa logeuse. En tout cas, Montcalm est au lit. Une femme s'approche pour le réveiller. Mais elle hésite.

— Parce qu'il est bandé.

— Elle le trouve séduisant, ou plutôt elle découvre tout à coup le visage attendrissant du guerrier affaibli, désarmé, comme un vieil enfant, couvert de cicatrices.

Il avait lu la fin de cette phrase mot à mot dans son texte.

— Pourquoi pas bandé ? Ce serait bien plus simple.

— Je ne vois pas ce que cela ajouterait.

— C'est évident. Nous voulons, dès les premières scènes, mettre Wolfe et Montcalm en opposition, n'est-ce pas ?

— Oui, je suppose.

— Eh bien, à cette heure, si Wolfe était au lit...

— Wolfe n'est pas au lit. Il vient d'arriver sur les plaines d'Abraham avec son armée.

— Je sais. Mais n'empêche que s'il était au lit, ce n'est pas une femme qui le réveillerait, mais son aide de camp. Et même si c'était une femme, il ne serait pas bandé. Alors que Montcalm — pour les besoins de la progression dramatique du film — est bandé comme un pape.

— On dit «bandé comme un pape», en anglais ?

— Non. Pourquoi ?

— Parce qu'en français on ne dit pas «bandé comme un pape».

— Qu'est-ce qu'on dit, alors ?

— On dit... je ne sais pas. Peut-être qu'on dit «bandé comme un pape».

— Donc, il est bandé comme un pape.

— Roch Marcoux va nous accuser de faire de la pornographie.

— Pour montrer qu'un homme est bandé, on n'a pas besoin de voir une bosse à travers les couvertures.

— Non ?

— On peut voir, dans l'oeil de la personne qui le regarde, qu'il est dans un état qui cause chez elle un certain trouble.

— Et comment réagit cette personne ?

— Elle est troublée, bien sûr. Elle se souvient quand même qu'elle a été envoyée là pour lui dire que les Anglais sont arrivés sur les hauteurs d'Abraham.

Noël Robert eut envie de la reprendre, méchamment. Il était rare qu'elle commettait des anglicismes. Mais il renonça. Elle avait peut-être fait exprès.

— Et lui, comment réagit-il ? demanda-t-il avec lassitude.

— Comment réagit un homme bandé lorsqu'une femme qui n'est pas la sienne vient le réveiller et qu'il sait qu'il est bandé alors qu'il devrait sortir du lit en pyjama, ou dans ce que les gens portaient à cette époque ?

— Montcalm est un galant homme. Je suppose qu'il lui fait signe de s'éloigner.

— Peut-être, mais elle lui apporte des choses importantes. Son rasoir, peut-être. Ou son *Globe and Mail*. Avec son café. Et lui sait qu'il doit se lever de toute urgence. Mais il n'est pas sans remarquer que la soubrette — ou la maîtresse de maison, peu importe — a une jolie poitrine. Et que lui dit-il alors ?

— Je n'en ai pas la moindre idée.

— Il lui dit : «Je suis désolé, mais j'ai une bataille à gagner. Je reviens avant midi.» Il sort du lit, dans l'état que j'ai dit, qu'on le voie clairement ou non. Et il s'empare de son rasoir. La soubrette ou la maîtresse de maison — je crois que cela devrait être la maîtresse de maison, jolie mais digne, peut-être même un peu pincée — baisse les yeux ou les lève au ciel, et sort de la pièce. Mais avant qu'elle n'ait fermé la porte, Montcalm lui dit encore : «Soyez prête.»

— «Soyez prête» ?

— Oui. Quand il reviendra après la bataille, il veut qu'elle soit... est-ce que vous dites «lubrifiée», en français ?

— Aucune femme ne peut se «lubrifier» sur commande.

— Une femme qui le veut le peut.

Elle s'avança vers lui, revêtue de son peignoir. Il était assis dans un fauteuil bas, la main droite posée sur un appuie-bras. Elle n'eut pas à entrouvrir son peignoir. Celui-ci — Noël Robert l'aurait juré — s'ouvrit tout seul. Elle avança encore, jusqu'à ce que ses cuisses prissent place de chaque côté de sa main. Et il sentit le long de son index quelque chose d'humide. Elle recula aussitôt, repartit vers la salle de bains.

— Montcalm connaissait sûrement mieux les femmes que toi.

Juste au moment de passer la porte de la salle de bains, elle se retourna encore vers lui, brusquement. Il avait levé sa main — de quelques centimètres à peine — vers son nez. Mais il interrompit son geste devant sa volte-face. Il se sentit rougir.

— Il n'y a rien de mal à vouloir sentir cela, dit-elle.

Elle entra dans la salle de bains et ressortit quelques instants plus tard en enfilant une robe.

— Dis donc, mon petit Noël, j'ai quelqu'un à voir, ce matin. Ça te gênerait si je te laissais travailler ici ? Je reviens dans une heure au plus tard. De toute façon, tu as apporté ton... comment ça s'appelle, déjà ?

— Mon Macintosh.

— Oui. Mais si tu préfères rentrer chez toi et revenir cet après-midi, je n'ai pas d'objection.

— Je peux rester. Ça m'économisera deux heures de taxi.

— Parfait, dit-elle gaiement comme s'il n'avait pas du tout eu l'air fâché.

***

— Où en sommes-nous ? demanda-t-elle.

Elle était rentrée à deux heures et demie, juste comme il venait d'éteindre son ordinateur et s'apprêtait à le remballer. Il eut envie de lui dire que «nous» en étions toujours au même point, puisque lui seul travaillait à ce damné scénario. Mais il se contint et s'efforça de parler gentiment.

— J'ai une nouvelle idée. Il me semble que cela règle plusieurs de nos problèmes. Pour commencer, Wolfe et Montcalm sont des héros authentiques, braves, graves, beaux, généreux et tout ça. Chacun essaie de deviner ce que fera l'autre. Une espèce de jeu du chat et de la souris. Cela donne des dialogues emphatiques, très dix-huitième siècle, je crois. On pourra toujours les faire vérifier par des spécialistes de l'ancien français — et de l'ancien anglais, bien entendu. Ça donnerait un film très théâtral, peut-être pas si éloigné de la vérité historique. Il me semble que les généraux de cette époque devaient beaucoup jouer pour la galerie.

— Montre-moi ce que tu as écrit.

— Je n'ai pas apporté d'imprimante. Mais je l'ai sur disquette. Je vais vous montrer.

Il la fit asseoir à côté de lui, devant l'ordinateur. Il ralluma l'appareil, glissa une disquette dans une fente. «Bienvenue sur Macintosh», salua l'écran. Puis plusieurs petites images apparurent. Noël Robert observait Alice Knoll dans la glace. Elle semblait vivement intéressée.

— Pour faire avancer le curseur, il n'y a qu'à déplacer la souris. Comme ceci.

Une flèche bougea sur l'écran, vint se poser sur une des images.

— Je n'ai plus qu'à cliquer deux fois avec le bouton de la souris sur l'icône qui représente le dossier dans lequel je conserve tous mes débuts de scénario.

Du coin de l'oeil, il voyait la fascination que l'appareil exerçait sur Alice Knoll. Cela lui fit plaisir.

— Maintenant, vous allez continuer. Vous allez double-cliquer encore.

— Double-cliquer ?

Il glissa la souris sous la main d'Alice Knoll, retira la sienne rapidement.

— Appuyez deux fois sur le bouton lorsque vous aurez amené le curseur sur le fichier «SV7».

— «SV7», qu'est-ce que c'est ?

— C'est le nom que j'ai donné à ma septième version du scénario.

— Septième, déjà ?

— Aucune n'est bien avancée, vous savez. Souvent, c'est seulement quelques phrases.

En hésitant remarquablement peu pour quelqu'un qui utilisait ce genre d'appareil pour la première fois, Alice Knoll plaça le curseur sur l'image identifiée comme «SV7».

— Bravo. Maintenant, double-cliquez.

— Comme ça ?

— Oui.

Immédiatement, l'écran se transforma.

— Ah ! s'écria-t-elle comme si elle s'était piquée avec une épingle.

— Le logiciel se charge et charge aussi en mémoire le fichier «SV7».

Des lignes écrites apparaissaient maintenant sur l'écran.

— Voilà, fit triomphalement Noël Robert. Vous n'avez plus qu'à le lire. Dès que vous arriverez au bas de l'écran, placez la flèche dans cette marge-ci, à droite, qui s'appelle l'ascenseur. Chaque fois que vous cliquerez en dessous de ce petit carré, cela vous fera passer à l'écran suivant, comme si c'était la page suivante. Vous voyez ?

— C'est épatant.

— Je vous laisse quelques instants. Je n'ai rien mangé depuis ce matin. Je vais manger un sandwich et je reviens d'ici une demi-heure.

**

Il revint dix-neuf minutes plus tard.

— Alors, qu'est-ce que vous en pensez ?

— C'est tout à fait épatant. J'ai tout lu, puis j'ai découvert toute seule la commande «Quitter».

— Bravo, vous êtes douée.

— Ça m'a ramenée à l'écran du début. J'ai rouvert l'image «Scénarios». J'ai retrouvé «SV7». J'ai vu l'espèce de poubelle marquée «corbeille», en bas, dans le coin. J'ai tiré l'image «SV7» avec le curseur jusque dans la petite poubelle, qui s'est ouverte toute seule. C'est très amusant. Cela veut sûrement dire que j'ai jeté ton texte «SV7» ?

— Oui et non, dit Noël Robert en faisant un effort pour garder sa bonne humeur. Le fichier «SV7» est encore dans la poubelle. Regardez : double-cliquez sur la corbeille.

Le dossier «SV7» était effectivement toujours là.

— Pour vous en débarrasser pour de bon, il faut appuyer sur la commande «Vider la corbeille».

Elle suivit ses instructions avec application, en tirant la langue.

— Où est rendu le fichier «SV7», maintenant ?

— Là où sont rendus les millions de fichiers d'ordinateur effacés volontairement ou non. C'est ce que vous vouliez ?

— Pas particulièrement.

Il éteignit l'ordinateur sans un mot, le rangea dans sa mallette. Il ouvrit la porte.

— On se revoit bientôt ? demanda-t-elle.

Il se retourna avant de sortir.

— Peut-être.

Noël Robert avait passé une semaine entière à se demander comment rembourser les vingt-cinq mille dollars de Roch Marcoux. Il lui en restait seize. Aucun banquier ne lui ferait crédit des neuf mille dollars manquants. Seule France pourrait le tirer de ce mauvais pas.

La première fois qu'il y avait songé, il avait d'abord pensé lui expliquer la méprise à la suite de laquelle on l'avait embauché pour le scénario. Roch Marcoux se serait rendu compte de l'erreur sur la personne et lui aurait demandé de se retirer du projet et de lui rembourser son avance. Mais France était avocate et insisterait peut-être pour qu'il gardât tout l'argent qu'il avait reçu, puisqu'il aurait été de bonne foi. Non, il valait mieux lui avouer qu'il ne se sentait pas à la hauteur. À moins de prétendre qu'Alice Knoll le poursuivait de ses assiduités ?

Après mûre réflexion, il décida que le plus simple était encore de dire à Roch Marcoux qu'il était préférable, pour tout le monde, qu'il abandonnât dès maintenant. Si le producteur faisait des difficultés, il faudrait lui révéler qu'il avait confondu Noël Robert et Robert Noël. Il était disposé à lui rendre seize mille dollars, mais pas un sou de plus. Si Roch Marcoux n'était pas satisfait, alors seulement Noël en parlerait à France.

Plusieurs fois, ce matin-là, il avait tendu la main vers le téléphone. Chaque fois, il s'était ravisé. Et juste au moment où il était convaincu qu'il allait enfin composer le numéro de Roch Marcoux, la sonnerie de la porte avait retenti.

C'était un coursier qui lui livrait une grande enveloppe dont le contenu lui fit oublier de téléphoner à Roch Marcoux.

115

Chers auteurs,

Je suis ravi que vous ayez demandé d'en savoir plus long sur les principaux personnages impliqués dans la bataille des plaines d'Abraham.

Voici quelques notes que j'ai rapidement rassemblées au sujet de ceux qui me semblent les plus intéressants.

Vous trouverez peut-être que j'accorde trop d'importance à Bougainville et à Cook, qui ne participèrent, ni l'un ni l'autre, à la bataille proprement dite. Mais je crois indispensable de signaler que les deux plus grands explorateurs du XVIIIᵉ siècle étaient là. Ils préfiguraient la période de paix qui allait suivre cette guerre — et surtout une nouvelle époque dans la découverte de notre monde.

Dans l'espoir que je vous aurai été utile, je vous prie d'agréer l'expression de mes sentiments les plus distingués.

Alexandre Anastase,
historien.

Montcalm

Le marquis Louis Joseph de Montcalm, seigneur de Saint-Véran, de Candiac, de Tournemire, de Vestric, de Saint-Julien d'Arpaon, baron de Gabriac, naquit à Candiac (près de Nîmes), le 28 février 1712. Il descendait d'une longue lignée de militaires, dont plusieurs étaient morts à la guerre. Un dicton languedocien disait même : «La guerre est le tombeau des Montcalm.»

Il étudia les classiques, les armes, l'équitation et tout ce que devait connaître un enfant destiné à la carrière militaire. Il entra dans l'armée française à l'âge de douze ans, avec charge d'enseigne dans le régiment du Hainault-infanterie, dont son père était lieutenant-colonel, et commença son service actif à l'âge de quinze ans. Mais il ne connut le champ de bataille qu'à dix-neuf, lorsque la guerre de la Succession d'Autriche éclata entre la France et l'Allemagne. Il ne se distingua d'aucune manière pendant cette campagne, ni pendant les quelques campagnes qui suivirent avec une régularité d'horloge et qui lui permirent de visiter plusieurs régions d'Europe. Un an après la mort de son père, il se maria, à vingt-quatre ans. De 1738 à 1741, une paix inattendue le laissa vivre tranquillement quelques années dans son château.

Mais la France repartit en guerre et cela valut à Montcalm une blessure bénigne pendant la défense de Prague. L'année suivante, il devint colonel du régiment d'Auxerrois et participa à la bataille de Plaisance, en Italie, un véritable désastre. Son régiment fut taillé en pièces, et il reçut lui-même cinq coups de sabre avant d'être fait prisonnier par les Autrichiens. Libéré contre promesse de ne pas reprendre les armes, il retrouva le droit de se battre à la suite d'un échange de prisonniers et se hâta de participer à un autre désastre français : la bataille d'Assiette, en Italie, au cours de laquelle une balle l'atteignit au front.

Il passait pour un officier de grande bravoure (ses blessures en témoignaient) et fort compétent (pour des raisons moins évidentes).

Entre 1749 et 1754, il connut d'autres belles années, à Candiac et à Montpellier, où il jouit des douceurs de la vie de famille tout en servant comme colonel d'un régiment de cavalerie. Sa femme lui donna dix enfants. Deux fils et quatre filles survécurent.

En janvier 1756, on le nommait commandant des troupes de terre en Amérique du Nord, avec le grade de maréchal de camp. Il quitta sa famille et légua son titre de colonel de cavalerie à son fils de dix-sept ans.

Qu'on ait mis à la tête des troupes d'Amérique du Nord un simple colonel de cavalerie n'ayant pris part qu'à des défaites est sans doute révélateur de l'importance accordée par la France à ces colonies.

En principe, Montcalm était chef de toutes les troupes de terre — à l'exception des Amérindiens, des milices, des troupes de la marine et des forces coloniales régulières. En réalité, il n'avait autorité que sur les troupes régulières françaises — les meilleures, mais les moins nombreuses.

Le commandant suprême de toutes ces troupes, y compris les régulières françaises, était le gouverneur Vaudreuil, un Canadien qui avait une assez grande expérience du gouvernement civil mais à qui l'expérience militaire faisait largement défaut.

Militaire amateur, Vaudreuil appréciait l'audace pardessus tout. Mais Montcalm avait une qualité rare pour un militaire : il était prudent (peut-être les défaites auxquelles il avait participé n'étaient-elles pas étrangères à ce trait de caractère peu méridional). Conscient de la supériorité des forces anglaises, il tentait rarement de transformer une victoire en triomphe, ce que Vaudreuil lui reprocha plus d'une fois.

De plus, Montcalm était bon chrétien et mauvais poète, comme en témoignent les mots qu'il fit inscrire sur une croix dressée au fort de Carillon au lendemain de sa victoire :

Chrétien ! Ce ne fut point Montcalm et sa prudence,
Ces arbres renversés, ces héros, leurs exploits,
Qui des Anglais confus ont brisé l'espérance;
C'est le bras de ton Dieu vainqueur sur cette croix.

Très vite, en dépit ou plutôt à cause de ses victoires spectaculaires (à Chouaguen, au fort William Henry et à Carillon), les relations entre Vaudreuil et Montcalm se gâtèrent au point que Montcalm laissa un de ses subordonnés écrire dans son *Journal tenu à l'armée* (c'étaient les officiers subalternes qui rédigeaient le journal de campagne des officiers supérieurs) cette note impertinente :

«M. le marquis de Vaudreuil, gouverneur général et en cette capacité général de l'armée, a fait sa première inspection ; après tout, il faut que jeunesse s'instruise. Comme il n'avait jamais vu un campement ou un ouvrage de défense, tout lui semblait aussi nouveau qu'amusant. Il posait des questions singulières. C'était comme un aveugle à qui on vient de donner la vue.»

Montcalm était vénéré de ses hommes et des populations civiles canadiennes. Mais il fut probablement le principal artisan de sa défaite. Il lança trop tôt l'offensive. Il aurait pu presser Bougainville de s'amener sans retard, et attendre les troupes que Vaudreuil lui amenait. Il est fort possible qu'il aurait pu alors non seulement remporter la victoire mais encore battre l'armée anglaise — et même l'empêcher de rembarquer, faute de barques assez nombreuses pour les évacuer tous à la fois.

Il est étrange que le prudent Montcalm ait agi, le 13 septembre 1759, en guerrier impétueux et téméraire. Et il est dommage qu'il l'ait fait le jour de la seule et unique bataille qui devait décider du sort de notre pays.

Wolfe

Né en 1727 à Westerham, dans le sud-est de l'Angleterre, James Wolfe était le fils d'un lieutenant-général tout à fait ordinaire et plutôt impécunieux (qui mourra au printemps de 1759 sans connaître la gloire imminente de son rejeton).

Après avoir obtenu sa première commission à l'âge de quatorze ans et connu à seize ans sa première bataille à Dettingen, en Bavière, il avait combattu contre le prince Charlie en Écosse et avait été blessé à Laffeldt en 1747. Il était alors devenu un spécialiste des opérations amphibies de débarquement.

On reconnaît généralement que Wolfe était un officier de premier ordre, intéressé, comme Montcalm, au bien-être et à l'efficacité de ses hommes. Mais sa santé était mauvaise, puisqu'il était graveleux (on appelait alors gravelle les calculs rénaux) et souffrait de rhumatisme.

Envoyé en 1758 à Louisbourg, il fut remarqué pour son courage, sa sagacité et son énergie. Il était devenu excellent officier de régiment, mais n'avait pas encore fait preuve de ses capacités dans l'organisation d'une campagne entière.

C'est William Pitt qui crut déceler chez lui les talents nécessaires pour diriger une armée et qui le nomma en 1759 «brigadier général des forces armées de Sa Majesté britannique en Amérique du Nord et major général et commandant en chef d'un détachement de troupes de terre dans une expédition contre Québec, par le fleuve Saint-Laurent».

Wolfe n'avait que trente-deux ans — quinze de moins que Montcalm, qu'il surnommait «le Vieux Renard».

Mais cet âge était quand même un âge respectable pour un officier de cette époque — ou même pour un simple citoyen. Les guerres étaient nombreuses, les risques de s'y faire tuer aussi, ainsi que les chances d'avancement qui en découlaient. Comme pour les avocats, il y a toujours un général sur deux qui gagne et qui prend de l'avancement, même lorsque deux incompétents s'affrontent.

Wolfe commandait devant Québec une excellente armée, forte de huit mille cinq cents hommes (Pitt lui en avait promis douze mille). Ce chiffre exclut les marins, encore plus nombreux. Il disposait de régiments de ligne britanniques ainsi que d'un petit bataillon provisoire formé de troupes d'abord laissées en garnison à Louisbourg et qu'on nomma «grenadiers de Louisbourg», bien qu'ils ne fussent aucunement originaires de cette région. Il disposait aussi de trois compagnies d'artillerie et de six compagnies de *rangers* américains. Ceux-ci n'étaient pas des miliciens mais des troupes régulières levées par la Couronne dans la colonie ; ce qui n'empêcha pas Wolfe d'écrire que «les Américains sont en général les plus sales individus et les plus méprisables que vous puissiez imaginer. On ne saurait compter sur eux dans une bataille. Ils s'écrasent dans leurs propres ordures et désertent par bataillons entiers, y compris les officiers.»

Wolfe, à l'encontre de Montcalm, ne disposait que de troupes régulières aguerries, à l'exception de trois cents miliciens et de quelques Amérindiens au nombre des *rangers*.

Pendant le siège de Québec, Wolfe fut tour à tour d'une galanterie exemplaire et d'une goujaterie sans égale. D'une part, il invitait ses prisonniers ou ses prisonnières à prendre le thé. D'autre part, il pouvait écrire : «Si nous nous apercevons que Québec ne semble pas devoir tomber entre nos mains, je propose de mettre la ville à feu avec nos obus, de détruire les moissons, les maisons et le bétail tant en haut qu'en bas, d'expédier le plus de Canadiens possible en Europe et de ne laisser derrière moi que famine et désolation.»

Le plus étonnant, c'est que le plan d'attaque de Wolfe par l'anse au Foulon se soit déroulé exactement comme il l'avait prévu. Mais il a fallu pour cela une série de hasards extraordinaires, comme l'annulation du convoi de ravitaillement sur le fleuve, la crédulité des sentinelles françaises, l'absence du bataillon de Guyenne sur les hauteurs, la lenteur de Montcalm à croire à l'arrivée des Anglais et sa hâte à les attaquer.

Si un seul de ces événements ne s'était pas produit, il est douteux que Wolfe eût gagné la bataille. Soit qu'il eût été repoussé avant même de débarquer, soit qu'il eût été rapidement rejeté dans le fleuve, soit que ses troupes, incapables de rembarquer, eussent été taillées en pièces.

S'il n'avait pas été tué pendant la bataille, on aurait pu dire de lui qu'il fut ce jour-là le plus chanceux des généraux.

Vaudreuil

On sait que Pierre de Rigaud, marquis de Vaudreuil, était gouverneur de la Nouvelle-France et de la Louisiane. Mais tout ce qui touche son rôle pendant la bataille des plaines d'Abraham et en particulier ses relations avec Montcalm est sujet à caution.

Ce qui est gênant, c'est que Vaudreuil, à l'encontre de Montcalm, a eu l'occasion d'écrire un grand nombre de lettres et de mémoires pour justifier son rôle. Selon lui, ce fut Montcalm qui commit toutes les fautes — par exemple, refuser d'envoyer le régiment de Guyenne près de l'anse au Foulon ou attaquer précipitamment les Anglais.

En fait, Vaudreuil a tant dit et tant écrit pour s'innocenter qu'il me paraît beaucoup plus suspect que s'il avait su se taire.

Et il me semble que ce serait lui donner une bonne leçon, fût-elle posthume, que de l'éliminer presque totalement de votre histoire. Au cas où vous ne seriez pas d'accord, voici quelques notes sur le personnage qui aimait être surnommé «le Grand Marquis».

Vaudreuil est né à Québec en 1698, ce qui lui donne soixante ans en 1759. Fils d'un gouverneur général de la Nouvelle-France, il reçut le titre d'enseigne de marine à l'âge de six ans, devint lieutenant à treize, capitaine à dix-sept, major à vingt-sept, gouverneur de la Louisiane en 1742, puis, en 1755, gouverneur général de la Nouvelle-France (le premier né ici, puisque son père était né en France).

Canadien de naissance et supérieur hiérarchique de Montcalm, il était normal qu'il s'opposât à lui. Les officiers français passaient souvent aux yeux des Canadiens pour de simples carriéristes venus chercher de l'avancement en Nouvelle-France. Mais, malgré tous ses titres, Vaudreuil connaissait mal les questions militaires. Il semble qu'il ne participa jamais à une bataille et qu'il ne servit jamais dans un corps armé plus important qu'une compagnie (moins d'une centaine d'hommes). De plus, l'art militaire évoluait radicalement en Amérique, pour se rapprocher de celui pratiqué en Europe. La France et l'Angleterre envoyaient ici des régiments réguliers. La guerre — la bataille des plaines d'Abraham en fut un exemple frappant — cessait alors d'être une série d'escarmouches et de raids improvisés relevant plus des parties de chasse que des batailles rangées.

On peut toutefois douter que Vaudreuil aurait été capable d'empêcher Montcalm de faire son travail. Ce fut Montcalm qui perdit la bataille des plaines d'Abraham et qui aurait pu la gagner.

Johnstone

Le cavalier Johnstone, aide de camp de Montcalm, était écossais et jacobite. C'est-à-dire qu'il était partisan de Jacques II Stuart, qui fut roi de Grande-Bretagne et d'Irlande, ainsi que roi d'Écosse sous le nom de Jacques VII. L'histoire de ce souverain converti au catholicisme est fort compliquée. Disons simplement qu'il avait toujours, soixante ans après sa mort en 1701, des partisans féroces, dont le chevalier de Johnstone. Wolfe s'était d'ailleurs battu contre eux en 1745.

Ce Johnstone semble avoir suivi Montcalm un peu partout avant et pendant la bataille. Et c'est sûrement à lui que Montcalm s'adressait la plupart du temps. Mais il n'a joué aucun rôle important. Tout au plus pouvez-vous le retenir comme interlocuteur de Montcalm, si vous désirez éviter de laisser celui-ci soliloquer.

Johnstone a aussi laissé des mémoires et fut l'auteur de *Dialogue in Hades,* ouvrage plutôt indigeste relatant une rencontre de Wolfe et de Montcalm dans l'au-delà.

Bigot

On a dit, avec raison, beaucoup de mal de l'intendant Bigot. Il était le principal lieutenant civil de Vaudreuil, de la même manière que Montcalm était son principal second pour les questions militaires. Il avait, parmi ses nombreuses responsabilités, celle d'approvisionner l'armée.

Bigot avait une réputation d'administrateur compétent. On lui reprochait toutefois ses bals somptueux alors que le peuple souffrait de la famine. Il était surtout un prévaricateur de très haut niveau. Après la chute de la Nouvelle-France, il fut rappelé dans la métropole. En 1763, il fut exilé, se vit confisquer ses biens et dut verser une amende de mille livres en plus de restituer un million et demi de livres (une livre de cette époque avait une valeur comparable à celle de notre dollar actuel). Belle somme, pour l'administrateur d'un pays misérable ne comptant pas soixante mille âmes ! Le principal adjoint de Bigot, le munitionnaire général Joseph Cadet, qui approvisionnait l'armée en vivres et boissons, fut sommé de rembourser six millions de livres. Même monsieur de Péan, mari de la maîtresse de Bigot (qui était laid, mais savait être généreux pour ses proches et les proches de ses proches), dut remettre six cent mille livres à la Couronne.

Madame de Beaubassin

Monsieur Marcoux m'a laissé entendre que les histoires amoureuses de Montcalm présenteraient un grand intérêt cinématographique. Malheureusement, on ne lui connaît avec certitude aucune liaison. Il a quand même existé une madame de Beaubassin (joli nom, n'est-ce pas ? on le croirait inventé), de dix-huit ans sa cadette. Montcalm lui aurait plusieurs fois rendu visite, mais jamais seul. Et je n'ai trouvé aucune preuve qu'il y aurait eu entre eux plus que de l'amitié.

Les brigadiers de Wolfe

Townshend, Monckton et Murray, les trois brigadiers de Wolfe, ne sont pas totalement dépourvus d'intérêt. Mais, à côté de leur chef, ils deviennent des personnages un peu falots. Bien entendu, ils sont toujours là, quelque part, à l'arrière-plan. Et je serai ravi de vous donner plus de détails à leur sujet dès que vous me les demanderez. Mais je suppose qu'aucun de ces trois hommes, pas plus que Johnstone, Bigot ou madame de Beaubassin, ne mérite de jouer beaucoup plus qu'un rôle de figurant.

Bougainville

Louis Antoine, comte de Bougainville, avait trente ans lors du siège de Québec. Homme riche et cultivé, il avait commencé par étudier le droit, mais il se passionna bientôt et bien plus pour les mathématiques et publia fort jeune un brillant traité sur le calcul intégral. Beaucoup de choses, d'ailleurs, le passionnaient, puisqu'il était aussi épris de jolies femmes et d'escrime. Lorsqu'il se fut lassé de la carrière juridique, il devint lieutenant aux Mousquetaires noirs, un régiment d'élite, puis aide de camp du général François de Cevert, premier stratège de France. Il fut ensuite secrétaire de l'ambassade de France à Londres, où il fut accepté, en 1756, au sein de la Société royale, un honneur exceptionnel pour un étranger âgé de vingt-sept ans seulement. Mais la guerre éclata entre la

France et l'Angleterre, et Bougainville partit pour Québec, comme aide de camp de Montcalm.

Il fut blessé pendant la bataille de Carillon mais insista pour demeurer à son poste jusqu'à l'issue du combat. Il fut aussitôt promu colonel et fait chevalier de Saint-Louis.

On l'envoya en France réclamer des renforts. Mais la France avait eu de nombreux revers en Europe, et monsieur de Choiseul, responsable des Affaires étrangères, de la Guerre et de la Marine, lui fit remarquer : «Lorsque le feu est à la maison, on ne s'occupe guère des écuries.»

Bougainville rétorqua : «Au moins, monsieur, on ne dira pas que vous parlez comme un cheval.»

Cet homme brillant, plus versé dans les sciences que dans l'art militaire, fut le principal lieutenant de Montcalm pendant la phase finale du siège de Québec.

Certains auteurs ont prétendu que son inexpérience — en particulier son retard lorsque la bataille commença — a été un grand facteur dans la défaite française. De plus, il était responsable des piquets de garde à l'ouest des remparts et aurait pu exercer sur eux un contrôle plus serré.

Cela ne l'empêcha pas, après la défaite, d'être reçu en héros à Versailles. Sans doute la mère patrie était-elle sérieusement à court de héros à la suite de cette guerre désastreuse.

Désireux, peut-être, de remplacer pour son pays les territoires qu'il lui avait fait perdre, Bougainville se procura auprès de quelques riches parents les sommes nécessaires pour financer une expédition aux îles Malouines. En février 1764, il y débarquait avec un groupe de treize Acadiens expulsés de Nouvelle-Écosse et en prenait possession. Mais les Anglais prenaient déjà fort au sérieux ces îles qu'ils appelaient Falkland. Et les Espagnols, qui considéraient l'Amérique du Sud comme leur chasse gardée, réclamaient aussi leurs Malvinas.

Rentré à Versailles, Bougainville reçut l'ordre de rendre les Malouines aux Espagnols une fois qu'il aurait récupéré ses Acadiens. Il demanda la permission d'explorer le Pacifique après l'évacuation des îles, plutôt que de rentrer en France. Cette permission lui fut accordée, et il partit avec deux navires et quatre cents hommes. Ou du moins croyait-il qu'il ne s'agissait que d'hommes. Parmi eux, il y avait le botaniste Philibert Commerson, qui découvrit, pendant une escale au Brésil, une plante grimpante aux pétales de couleur vive qu'il nomma fort diplomatiquement bougainvillier, ce qui donna à son chef d'expédition une renommée durable que ne lui auraient assurée ni sa participation à la bataille des plaines d'Abraham ni ses succès en tant qu'explorateur. Ce Commerson avait emmené sa maîtresse comme valet. Et ce n'est que beaucoup plus tard qu'on s'en aperçut, les Tahitiens étant les premiers à deviner qu'il s'agissait d'une femme. Bougainville, sans doute reconnaissant que le botaniste eût donné son nom à une plante, se contenta de féliciter la jeune femme d'avoir voulu être la première personne de son sexe à faire le tour du monde.

Après avoir rendu les Malouines aux Espagnols et ramené à Montevideo la plupart des colons acadiens, Bougainville gagna les mers du Sud par le détroit de Magellan.

Sa première destination importante fut Tahiti, dont il prit possession au nom du roi de France (bien que les Anglais eussent déjà découvert l'île quelques décennies plus tôt) et qu'il baptisa Nouvelle-Cythère, allusion à l'île grecque où Aphrodite surgit de la mer et où les femmes étaient censées être fort belles.

Enchanté de ce qu'il découvrit à Tahiti, Bougainville fut à l'origine de l'image paradisiaque qu'on a encore aujourd'hui de ces îles. Avec ses paysages superbes, ses femmes aux moeurs légères, son peuple vivant au rythme de la nature, la Nouvelle-Cythère semblait prouver que l'homme naît bon, comme le prétendait Jean-Jacques Rousseau.

Bougainville resta pourtant à peine plus d'une semaine à Tahiti, et repartit en emmenant avec lui un jeune homme du nom d'Aotourou, qui, en débarquant aux îles Samoa, se crut arrivé en France, parce qu'il ne comprenait pas la langue du pays.

Lorsque Bougainville découvrait une île (et bien que la plupart de ces terres eussent été déjà découvertes par des navigateurs anglais, portugais ou espagnols), il en prenait possession au nom de son roi, enfouissait au pied d'un arbre des documents à cet effet, et repartait non sans avoir baptisé ou rebaptisé l'île d'un nom généralement classique. Par exemple, il nomma Grandes Cyclades les Nouvelles-Hébrides, et Louisiades (pour faire plaisir au roi) un archipel qu'il fut vraiment le premier à découvrir, le long des côtes de la Nouvelle-Guinée. Et il ne s'oublia pas, donnant son nom à la plus grande des îles Salomon.

De retour à Paris, Bougainville suscita un énorme intérêt au sujet de Tahiti. Aotourou prit un grand plaisir à visiter Paris et se découvrit un faible pour les opéras, en particulier les opéras avec ballet, qui lui donnaient l'occasion de rendre visite aux danseuses dans les coulisses. Mais, après onze mois, le mal du pays le prit. Bougainville, qui avait promis de le rapatrier, dépensa le tiers de sa fortune personnelle pour affréter un navire. Toutefois, une épidémie de petite vérole se déclara en mer et Aotourou mourut avant d'avoir revu Tahiti.

Après avoir rédigé le récit de son voyage autour du monde, Bougainville proposa de conduire une expédition française vers le pôle Nord. Mais le gouvernement lui refusa l'aide financière nécessaire.

Lorsque la guerre de l'Indépendance américaine éclata, Bougainville reprit la mer. En 1781, il commandait un des navires de l'amiral de Grasse dans la bataille de la baie de Chesapeake.

Il s'était marié à l'âge de cinquante ans, à une jeune fille de vingt ans qui lui donna quatre fils. Pendant la Révolution, il échappa de justesse à la guillotine (sans doute avait-on à lui reprocher des griefs plus importants que celui d'avoir donné le nom de son roi à une île du Pacifique). Il eut encore l'occasion, vers la fin de sa vie, de conseiller Napoléon, qui le fit comte. Il mourut en 1811, à l'âge de quatre-vingt-deux ans.

Cook

Le capitaine Cook joua dans la bataille des plaines d'Abraham un rôle moins évident que celui de Bougainville, mais plus déterminant.

Les assiégés avaient enlevé toutes les balises indiquant les hauts-fonds du fleuve, ce qui empêcha pendant quelque temps la flotte anglaise de remonter par delà Québec et de couper les lignes d'approvisionnement des assiégés français. Cook fut chargé de retrouver le chenal, au moyen de sondages. Ses cartes hydrographiques continueront pendant des décennies à faire autorité auprès des navigateurs. Elles auront pour effet immédiat de permettre aux navires de Wolfe de contrôler le Saint-Laurent et ainsi de gagner la guerre.

Par contre, ce fut lui qui promit à Wolfe que, lors du débarquement à Montmorency, les bateaux plats s'approcheraient à moins de cent verges du rivage. Il fut donc en partie responsable de cet échec.

Peut-être cette erreur explique-t-elle qu'après la guerre le victorieux Cook ne fut pas, comme le vaincu Bougainville, reçu en héros dans son pays. On lui remit seulement la somme de cinquante livres pour son zèle. En 1762, il se maria, s'installa près de Londres et perfectionna ses talents d'hydrographe le long des côtes de Terre-Neuve, pendant l'hiver.

Plusieurs années plus tard, la Société royale de Londres décida d'envoyer des expéditions pour observer un phénomène astronomique qui devait avoir lieu en juin 1769 : le dernier passage de la planète Vénus devant le Soleil avant 1874. Une des équipes devait se rendre dans les mers du Sud pour observer ce phénomène, qu'on croyait susceptible d'aider à mesurer la distance de la Terre au Soleil. La Société royale désigna, pour le commandement de cette expédition, James Cook. On lui choisit comme point d'observation l'île de Tahiti.

Cook suivit un itinéraire semblable à celui de Bougainville un an plus tôt — passant par Rio de Janeiro et par le cap Horn.

La mission de Cook avait pour objectif secondaire de repérer la fameuse *Terra Australis Incognita* — un continent habitable qui était censé recouvrir toute la partie sud de notre planète. L'astronome grec Ptolémée, au IIe siècle, avait démontré que l'existence de ce continent était absolument nécessaire pour que la Terre gardât son équilibre et évitât de basculer. La *Terra Australis Incognita* apparaissait déjà sur les cartes du XVIe siècle, et les navigateurs européens passèrent plus de deux cents ans à la chercher en vain.

Du cap Horn, Cook fila donc plein sud, sans trouver le moindre continent. Et Banks, le botaniste de l'expédition, ironisa sur «le nombre de degrés carrés de terre déjà changés en eau».

On aperçut Tahiti le 13 avril 1769 (Bougainville y avait débarqué le 2 avril de l'année précédente).

Les Anglais se préparèrent au passage de Vénus, prévu pour le 3 juin. Mais, à cause d'un phénomène optique imprévu, les observations des trois scientifiques du bord donnèrent des résultats différents, comme celles des autres spécialistes envoyés en d'autres points de la planète, et on ne put mesurer avec plus de précision qu'auparavant la distance entre la Terre et le Soleil. Cook repartit donc le 13 juillet, toujours à la recherche de la *Terra Australis Incognita*. Comme Bougainville, il amenait un Tahitien, du nom de Tupaia.

Ils ne trouvèrent pas le continent, mais Cook découvrit et nomma avec humour un nombre considérable de lieux. Il baptisa Thirsty Sound une baie de l'Australie où il ne put trouver une seule goutte d'eau potable. Il nomma Providential Channel un étroit passage qui lui permit d'échapper à la mort dans le grand récif de corail de l'Australie. Il donna à un archipel le nom de Court of Aldermen en l'honneur du conseil municipal de Londres et s'amusa à nommer chacune de ses îles d'après sa ressemblance avec l'un ou l'autre de ces messieurs.

Banks insista pour qu'on nommât détroit de Cook le passage entre les deux îles de la Nouvelle-Zélande (c'était la première fois qu'on constatait qu'il ne s'agissait pas d'une seule île).

La vue des Anglais terrifia les Maoris, qui croyaient que ces visiteurs avaient des yeux derrière le crâne puisque dans leurs canots ils ramaient en regardant vers l'arrière.

Tupaia mourut de malaria sans avoir vu Londres. Mais la chèvre emmenée à bord pour fournir le lait du thé des officiers survécut. Cette chèvre avait d'ailleurs, dix ans plus tôt, accompagné une autre expédition, et fut la première de son espèce à faire deux fois le tour du monde. Peut-être même est-elle toujours la seule à avoir réussi un tel exploit.

Rentré à Londres, Cook ne devint pas une vedette. Il fut reçu par le roi, il est vrai, mais ce furent les savants de l'expédition qui obtinrent la faveur de l'opinion publique. La Société royale lui exprima simplement sa gratitude de n'avoir pas épuisé les crédits mis à sa disposition et utilisa le reliquat pour commander un buste du souverain britannique.

Cook partit pour un deuxième voyage, en 1772, toujours à la recherche de la *Terra Australis Incognita*. Il refit escale à Tahiti et repartit avec deux indigènes (peut-être voulait-il doubler ses chances d'en voir un survivre).

Le 30 janvier 1774, il dut s'avouer vaincu à cause de la banquise qui formait devant son navire un champ de glace impénétrable. Il décida de virer de bord. Mais, au dernier instant, un aspirant de marine nommé George Vancouver (qui donnera son nom à la métropole de la Colombie britannique) rampa jusqu'au bout du beaupré et agita son chapeau en criant : «Nec plus ultra.» Toute sa vie, Vancouver se vanta d'être l'homme qui s'était le plus approché du pôle Sud.

Cook eut au moins la certitude de l'inexistence du continent habitable décrit par de Brosses et Darlymple, avec ses forêts luxuriantes, ses vallées fertiles et ses millions d'habitants. Ce n'est qu'un demi-siècle plus tard qu'on foula enfin le sol de l'Antarctique, fort différent de cette description.

Cook visita l'île de Pâques et Tonga. Il renomma Nouvelles-Hébrides les Grandes Cyclades de Bougainville. Il fut aussi le premier Européen à voir la Nouvelle-Calédonie.

Ce deuxième voyage dura trois ans et dix-huit jours. Cette fois, la Société royale lui décerna la médaille Copley et le reçut parmi ses membres. On lui donna même une pension et un poste honorifique.

En 1776, Cook renonça à sa pension et partit pour un troisième voyage. Un des deux Tahitiens, Omai, partit avec lui après avoir fait sensation à Londres, où il avait couru les bals, rencontré des gens illustres et même inspiré des pièces de théâtre. Omai retrouva donc son île, où, vêtu à l'européenne, il fit grande sensation, comme à Londres.

Pendant ce voyage, Cook découvrit les îles Hawaï, qu'aucun Européen n'avait encore vues et où il fut le premier à observer des indigènes faire du surf. Il remonta ensuite aux Aléoutiennes à la recherche d'une autre chimère : le passage du Nord-Ouest qui aurait permis de se rendre directement du Pacifique à l'Atlantique.

Il retourna à Hawaï pour passer l'hiver et fut cette fois accueilli par des insulaires qui le prirent pour une divinité parce que, selon une légende, un dieu nommé Lono devait un jour revenir en apportant de magnifiques cadeaux. Chaque hiver, des processions lui rendaient hommage en faisant le tour de l'île dans le sens des aiguilles d'une montre avec des perches sacrées portant des bannières fixées sur des barres transversales. Cook avait fait le tour de l'île dans le même sens avec ses navires, dont les mâts, les vergues et les voiles ressemblaient aux perches du rite de Lono.

Malheureusement, les insulaires finirent par douter de la divinité de Cook et lui firent comprendre que son départ serait apprécié.

Cook repartit dès que ses navires eurent été réparés. Mais une tempête se leva et arracha le mât de misaine de son navire. Il dut revenir à l'île, où il fut massacré avec plusieurs de ses hommes.

Le 3 juillet

Enfin, des idées ! Noël Robert s'était découvert un enthousiasme dont il ne se croyait plus capable. Plusieurs fois, il avait couvert de notes l'écran de son ordinateur. Et il eut bien du mal à résister à la tentation de rédiger un vrai scénario sans plus attendre Alice Knoll. Mais il s'était juré qu'il n'écrirait plus une ligne sans qu'elle le lui demande. Comme elle ne se manifestait pas, il se résolut enfin à l'appeler un dimanche à midi.

Elle répondit d'une voix pâteuse.

— Vous avez reçu la dernière lettre d'Alexandre Anastase ? lui demanda-t-il.

— La lettre ? Ah oui, la lettre.

— Qu'est-ce que vous en pensez ?

— C'est très intéressant.

«Je parie qu'elle ne l'a même pas lue», songea-t-il.

— J'hésite entre deux possibilités, continua-t-il.

— Oui ?

— On pourrait s'inspirer du *Dialogue in Hades* de Johnstone. J'ai essayé de le trouver à la bibliothèque de Montréal, mais ils ne l'avaient pas. Par contre, l'idée de Wolfe et Montcalm qui se rencontrent dans l'au-delà serait originale.

— L'autre idée ?

Il était évident, au ton de sa voix, que la première ne l'enchantait guère.

— Je me suis dit qu'on pourrait centrer le scénario sur une rencontre entre Bougainville et Cook, à Tahiti, dix ans après la bataille.

133

— J'aime mieux ça.

— Le seul problème, c'est qu'ils ne se sont jamais rencontrés. Bougainville est allé à Tahiti en 1768, et Cook en 1769.

— Qu'est-ce que ça peut faire, si ça donne un bon film ?

— J'ai même imaginé la première scène.

— Raconte.

— Cook a vu des indigènes faire du surf à Hawaï. Pourquoi pas aussi à Tahiti ? La scène d'ouverture du film serait une leçon de surf que le Tahitien Aotourou donnerait à Bougainville.

— Un film sur les plaines d'Abraham qui commence par du surf ? C'est épatant. Il n'y a qu'une chose...

— Oui ?

— Ton Tahitien. Pourquoi pas une Tahitienne, tant qu'à faire ?

— Vous ne pensez pas qu'on aurait les féministes sur le dos ?

Il avait dit cela pour dire n'importe quoi, le temps de réfléchir à l'idée de transformer son mâle Aotourou en jolie vahiné.

— Écoute, mon petit Noël, s'il y a une chose que mon nom au générique de ce putain de film peut assurer, c'est bien qu'on n'aura pas les féministes dans les pattes. Et puis, tiens, si ça peut te donner bonne conscience, pourquoi ne pas préciser dans le scénario que la Tahitienne doit être édentée ? Ça donnera à une jeune fille l'occasion de faire assez de sous pour se payer des dents et ça t'aidera à dormir tranquille.

Se moquait-elle ? Sûrement.

— Si vous y tenez, dit-il lui-même d'un ton qu'il voulait moqueur.

— Tu me travailles ça, je suis sûre que ce sera très bien.

— Je vous l'envoie dans quelques jours.

— Ce n'est pas nécessaire. Je pars en tournée dans les Maritimes. Envoie ça directement à Roch Marcoux. Je suis sûre qu'il va adorer.

Noël Robert avait travaillé avec acharnement. Pour une fois, les mots et les phrases venaient facilement. Il écrivit le brouillon de ce qui lui sembla être au moins le tiers — en tout cas, un bon quart — du scénario. En fait, il fut tenté de l'achever. Mais il avait promis à Roch Marcoux de lui envoyer une synopsis et les premières scènes le plus tôt possible. Et il valait mieux commencer par lui vendre le concept et gagner sa confiance.

C'est presque à regret qu'il se concentra sur les quatre premières scènes, qu'il polit du mieux qu'il put. Ensuite, saisi de doutes, il se contenta d'imprimer trois copies de la première séquence et de sa version la plus brève de la synopsis.

Il envoya les deux premières par la poste, à Roch Marcoux et à Alice Knoll. Et il fit lire l'autre à sa femme, qui lui jura que c'était vraiment très bien, sans réussir à le convaincre qu'elle le croyait.

Synopsis

Ce projet de scénario s'inspire d'une rencontre hypothétique mais plausible entre les deux plus étonnants acteurs secondaires de la bataille des plaines d'Abraham — bien que ni l'un ni l'autre n'ait directement participé à celle-ci.

Les deux plus grands explorateurs du Pacifique, Bougainville et Cook, se rencontrent, dix ans après la bataille, à Tahiti. Ils passent quelques jours ensemble, tandis que Cook fait réparer les mâts de son navire, et se racontent comment ils ont vécu la bataille, chacun de son côté. D'autres marins, français autant qu'anglais, ont été eux aussi témoins de la bataille et en racontent des épisodes.

Ce scénario permet de montrer la guerre avec un certain recul — celui du temps, et aussi celui de deux hommes de grande valeur, pour lesquels le Canada était chose de peu d'importance.

Il permet en outre de donner plus d'explications, particulièrement utiles pour les marchés étrangers et peut-être aussi pour nos jeunes générations, puisque Cook et Bougainville exposent le contexte de la bataille aux marins qui les écoutent et se font raconter les épisodes qu'ils ne connaissent pas par les quelques membres de leurs équipages qui y ont participé.

D'une certaine manière, Cook et Bougainville enquêtent sur ce qui s'est passé — comme des détectives. Cook veut comprendre les implications du désaccord entre Montcalm et Vaudreuil. Bougainville s'intéresse plus à savoir si Wolfe était un héros génial ou un général chanceux.

Finalement, cette approche donne aux cinéastes un point de vue original et personnel, qui permet de s'éloigner de la simple anecdote du récit de la bataille. Rien ne nous force même à présenter celle-ci dans l'ordre chronologique.

Fait à signaler, Bougainville a vécu quelques années en Angleterre. Cook devait aussi parler au moins un peu de français. On pourra donc tourner tous les dialogues dans les deux langues (une bonne part d'entre eux seraient en voix hors champ, de toute façon). Dans la version anglaise, on peut faire comme si tout le monde avait parlé anglais lors de cette rencontre à Tahiti ; et, dans la version française, comme si tous s'étaient exprimés en français. Peut-être les dialogues les plus simples resteraient-ils dans la langue d'origine. Nous pourrons, en tout cas, éviter les sous-titres et le doublage que les Américains détestent tant.

Scène 1

Dans des eaux turquoise, une jeune femme nue fait du surf. Elle n'a rien d'une championne. Mais elle se débrouille fort bien, avec une grâce et une adresse naturelles.

En arrivant près de la plage, elle perd l'équilibre et tombe à l'eau en riant. Elle a la peau foncée — mais on ne sait trop si c'est de naissance ou si c'est parce qu'elle est bronzée.

Seule ombre dans cette image idyllique : la femme a perdu plusieurs de ses dents, ce qui lui donne un sourire de fillette de six ans.

Une main tendue l'aide à se relever. Cette main, elle, est blanche, tout juste dorée par le soleil.

La jeune femme se redresse, s'appuie contre la poitrine d'un homme d'une quarantaine d'années, aux longs cheveux blonds, vêtu d'une culotte de velours trempée. Mais peut-être est-il nu, lui aussi. Cela importe peu, pourvu que son vêtement, si vêtement il y a, ne date pas la scène, qui pourrait aussi bien être située aujourd'hui.

Tenant toujours la jeune femme d'une main, l'homme tente de stabiliser la planche de l'autre main pour l'aider à y remonter. Mais elle semble insister pour qu'il monte sur la planche à son tour. Les vagues font un bruit terrifiant. Il refuse, mais finit par se laisser faire et s'y étend à plat ventre. Elle le pousse vers le large, et il pagaie des deux mains, jusqu'au delà des plus grosses vagues. Là, il s'efforce de se mettre debout, tombe, se relève et retombe plusieurs fois, en criant «Merde !» (on l'entend parfois, mais pas toujours, à cause du grondement de la mer).

Le voilà enfin debout, étendant les bras pour garder l'équilibre. Et la planche se met doucement en mouvement, poussée par les flots. La jeune femme, dans l'eau jusqu'au nombril, l'encourage d'un geste. Mais il tombe encore, dans une vague monstrueuse. On croit qu'il n'y survivra pas, mais le voilà qui émerge encore, à la fois furieux et ravi, répétant «Merde !» plusieurs fois.

Il arrive enfin près de la jeune femme, qui ne se gêne pas pour rire de lui.

Piqué au vif, l'homme repart vers le large, à plat ventre, en pagayant furieusement des deux mains.

La femme, derrière lui, se met à lui faire des signes désespérés et crie de plus belle. Mais lui continue par delà les lames, jusqu'au moment où il se retourne pour faire face à la plage.

On aperçoit alors, derrière lui et sans qu'il le voie, un navire. D'abord la coque de bois, puis des canons, des mâts abîmés. Postés sur le pont, des hommes armés de mousquets mettent le baigneur en joue. Au tout premier rang se dresse un officier britannique du XVIIIe siècle, à l'allure sévère et énergique, sous une perruque grise.

Tandis que la caméra nous révèle ce tableau, le baigneur sur sa planche ne sait rien de ce qui se passe derrière lui. Il regarde la jeune femme qui lui fait signe de revenir. Il lui envoie un baiser délicat, du bout des lèvres, et s'apprête à pagayer de nouveau vers les vagues devant lui lorsqu'un léger choc le fait sursauter. Le bout de sa planche vient de toucher la coque du navire. Il se retourne, lance un grand «Merde !» et tombe à la renverse dans l'eau, à la vue des fusils pointés vers lui.

Il refait surface, s'accroche à la planche, examine les gens sur le pont du navire, reconnaît le drapeau britannique.

— *Are we at war ?* demande-t-il avec un bel accent aristocratique français.

— Vous êtes français ? demande le capitaine avec un bel accent aristocratique anglais.

— *Does it show ?*

— Nous ne sommes pas en guerre, dit le capitaine. Du moins, pas aux dernières nouvelles.

— Dans ce cas, *welcome to Tahiti !*

On fait monter le Français sur le navire. Poignées de mains, tapes dans le dos. Il se souvient de la fille sur la plage. Il lui fait signe de venir le rejoindre. Elle s'enfuit derrière les palmiers.

Noël Robert attendit avec impatience la réaction de Roch Marcoux. Chaque fois que le téléphone sonnait, il croyait que c'était lui. Lorsque son attente fut enfin récompensée, il n'eut pas le temps de demander au producteur ce qu'il pensait de son projet.

— Qu'est-ce que c'est que cette affaire-là ? demanda Roch Marcoux.

— Qu'est-ce que vous voulez dire ?

— Ton projet de scénario. Luc Augeay me fait niveler une montagne pour reconstituer le champ de bataille. Ça va me coûter un million, peut-être deux. Puis vous autres, vous voulez qu'en plus la moitié du tournage se fasse à Tahiti ?

— On pensait que...

— Sais-tu combien ça coûte, emmener une équipe de tournage à Tahiti ? Puis les nourrir, les loger ?

— Combien ça coûte ?

— Je le sais pas, mais je sais que ça coûte cher. Puis j'en veux pas dans mon film. Même si ça coûtait rien. Ça a pas de mautadit bon sens : du surf dans un film sur les plaines d'Abraham. On a jamais vu ça.

— Justement...

— Non. Pas de surf. Pas de Tahiti. On reste à Québec. C'est-tu clair ?

— Je...

Noël Robert allait donner sa démission, mais le producteur ne lui en laissa pas le temps.

— Par contre, j'ai une bonne nouvelle, poursuivait-il en se radoucissant. J'ai Bohringer pour Montcalm.

— Richard Bohringer ?

— Tu le connais ?

— C'est un bon acteur.

— Y a juste un problème...

— Oui ?

— Faudra que tu donnes un assez bon rôle à Vaudreuil.

— D'après l'historien, Vaudreuil n'était pas si important.

— Justement, le problème, c'est que Borhinger, c'est un Français. Puis Cinéma-Canada et la S.Q.I.C. insistent pour qu'au moins la moitié des grands rôles aillent à des Canadiens. En anglais, j'ai des chances d'avoir Donald Sutherland pour Wolfe.

— Il n'est pas un peu vieux ?

— J'ai pas grand choix. T'as vu le nez de Wolfe, dans les images ? Y a pas grand monde qui a un nez comme ça. On a rien qu'à le maquiller jeune, Sutherland.

— C'est vrai que c'est un bon acteur.

— C'est un Canadien, en tout cas. Mais ça m'en prendrait un de plus pour leur faire plaisir. C'est pour ça que j'ai pensé à Vaudreuil. Paraît que c'était un Canadien, ça fait que même les Français auront rien à dire si on prend pas un Français. Qu'est-ce que tu dirais d'Albert Millaire ?

— Il est bon.

— En tout cas, c'est un Canadien. Puis il devrait pas me coûter trop cher. Ça fait qu'essaye donc de lui donner un rôle qui pourrait passer pour un premier rôle, même si c'en est pas tout à fait un. Tu vois ce que je veux dire ? Parce que Sutherland, c'est pas encore sûr. Si ça tombe à l'eau, je vais prendre... comment il s'appelle — le type qui faisait le roi dans *Amadeus,* tu sais, avec le nez pointu ? J'oublie toujours son nom...

— Je vois qui.

— Lui puis Wolfe se ressemblent comme deux gouttes d'eau. Si c'est lui qu'on prend, ça va nous faire un Canadien puis deux étrangers pour les trois grands rôles, même si on fait passer Vaudreuil pour un premier rôle. Tu me suis ?

— À peu près.

— À ce moment-là, faudrait absolument un rôle canadien de plus. Penses-tu qu'on pourrait ajouter une femme ? On a des tas de bonnes actrices...

140

— Oui, mais ça manquait de femmes à la bataille des plaines d'Abraham.

— Je sais bien, mais quand même, on peut toujours, en cherchant bien. Il me semble qu'Alexandre Anastase parlait d'une madame de Beauvagin...

— Beaubassin.

Roch Marcoux éclata de rire grassement.

— Beauvagin, Beaubassin, ça a même pas besoin d'être un vrai rôle historique. Ça pourrait être un personnage inventé. T'étais bien prêt à avoir une Tahitienne. Mais ça nous prendrait une actrice d'ici. Et puis, si on a Sutherland pour Wolfe...

— On fera sauter madame de Beaubassin ?

— Pas question, ça prend une femme dans un film. On pourra toujours raccourcir le rôle de Vaudreuil.

— C'est compliqué.

— C'est ça, le cinéma.

*O*liva Meunier examina le jeune homme avec attention. Il n'observait rien de précis, mais essayait de l'intimider, sans raison aucune, juste pour le plaisir.

— Ça devrait pouvoir se faire, dit-il enfin.

— Combien ça coûtera ?

— Oh, je sais pas. Vingt, vingt-cinq.

— Quand est-ce que ça peut être prêt ?

— Es-tu pressé ?

— Non.

— Je peux te le faire tout de suite, si tu veux.

— Correct.

— C'est bien là que tu veux que je coupe ? fit Oliva Meunier en montrant les traces de crayon gras rouge faites le long de la poignée pistolet.

— Oui.

Oliva Meunier se retourna, fit quelques pas jusqu'à un tour électrique, qu'il mit en marche. Il abaissa sur ses yeux les lunettes protectrices qu'il gardait en visière sur son front.

Gaston McAndrew fit trois pas, puis recula de deux lorsque la lame rotative entama le métal, faisant voler des faisceaux d'étincelles dans toutes les directions.

— Voilà, dit Oliva Meunier. Tu veux que je te le polisse ?

— C'est pas nécessaire.

— Ça te fera trente dollars en tout, précisa le vieil homme en approchant la poignée pistolet d'une meule à polir.

Quelques instants plus tard, il examina son travail, caressa le métal.

— Tu pourrais m'en trouver d'autres comme ça ? ajouta-t-il en feignant la plus grande indifférence.

— Je sais pas.

— Des complets, je veux dire. Y a du monde qui payerait cher pour ça.

— Ah oui ? fit innocemment Gaston McAndrew. Moi, c'est celui d'un ami. Mais je peux lui en parler, si vous voulez.

— C'est ça, parles-y donc.

Oliva Meunier éteignit le tour, tendit la pièce au jeune homme, qui lui donna deux billets de vingt dollars. Il les mit dans sa poche sans offrir de rendre la monnaie.

Gaston McAndrew partit en murmurant : «Merci beaucoup.»

Noël Robert mit en marche l'ordinateur. Il ouvrit le dossier dans lequel il accumulait ses notes et ses tentatives de scénario. Il relut ses deux derniers fichiers, n'y ajouta pas un mot. L'inspiration ne venait pas. Il ouvrit le fichier «Chanson», examina les paroles qu'il avait écrites, leur ajouta deux lignes, chercha de nouvelles rimes, s'étonna que personne n'eût encore songé à créer un dictionnaire de rimes informatisé, referma le fichier, l'ouvrit une fois de plus, le relut.

> *On tire à droite, on meurt à gauche.*
> *On tombe comme blés qu'on fauche.*
> *On prend les gouffres pour des bouées.*
> *On tue plus vite qu'on est tué.*
> *C'est ainsi qu'on vit en ce pays.*
>
> *On dit les choses du bout des lèvres.*
> *On confond cauchemars et rêves.*
> *On prend les jours pour des années.*
> *On cueille les fleurs pour les faner.*
> *C'est ainsi qu'on aime en ce pays.*
>
> *On joue au fou, on crie au voleur*
> *On prend la peur pour le malheur.*
> *On ne court qu'après ceux qui nous fuient.*
> *On se laisse faire, on dit merci.*
> *C'est ainsi qu'on meurt en ce pays.*

Longtemps ses doigts ne bougèrent plus. Était-ce bon ou mauvais ? Facile ou original ? Comment tout pouvait-il sembler si simple pour Alice Knoll, et si ardu pour lui ?

Le téléphone sonna. C'était elle.

— Je suis à Heathrow.

— Heathrow ?

— L'aéroport de Londres. Tout le monde connaît.

— Oui.

— Écoute, mon petit Noël. Je rentre à Toronto ce soir. Je vais avoir trois jours devant moi. Si on travaillait un peu à ce damné scénario ?

— Je ne demande pas mieux.

— Bon. Je t'attends chez moi. 565, rue Oldabella, appartement 901. Vendredi, sept heures, ça te va ?

— Oui.

Elle raccrocha avant qu'il n'eût le temps de lui demander si elle voulait dire sept heures du matin ou sept heures du soir. Il décida de se rendre chez elle à sept heures du soir, histoire de se montrer indépendant.

*I*l poussa le bouton de l'appartement 901, à sept heures et une minute du matin.

— Qui est-ce ? demanda en anglais une voix nasillarde dans l'interphone.

— Noël Robert.

— Je ne t'attendais que ce soir, poursuivit la voix, en français cette fois.

— J'avais cru comprendre sept heures du matin.

— Ce n'est pas grave. Monte quand même.

***

Il frappa à la porte du 901.

— Entre, cria la voix familière d'Alice Knoll.

Il poussa la porte.

— Fais comme chez toi, poursuivit la voix qui venait de la salle de bains.

C'était un appartement assez luxueux, mais livré au désordre le plus exemplaire. Des livres, des magazines, des journaux traînaient un peu partout. Dans un coin de la pièce principale qui faisait office de salon et de salle à manger, il y avait deux valises. L'une fermée et l'autre ouverte, son contenu à moitié répandu sur le tapis.

Noël Robert s'assit sur le canapé.

— Assieds-toi, je suis à toi dans deux minutes, dit Alice Knoll en traversant la pièce dans un déshabillé transparent.

Elle revint dix minutes plus tard, dans une robe tout à fait décente.

147

— Je suis désolé, dit aussitôt Noël Robert. Je croyais que si vous vouliez travailler, il ne pouvait s'agir que de sept heures du matin.

— C'est peut-être ce que je voulais dire à ce moment-là, mais j'ai dû oublier. Ce n'est pas grave. Mais tu n'es pas arrivé ce matin ? Où as-tu passé la nuit ?

— À l'hôtel.

— Tu aurais pu dormir ici. C'est un canapé-lit, fit Alice Knoll en désignant le meuble sur lequel il était assis.

— Je ne suis pas sûr que ma femme aurait apprécié.

Il avait sans doute usé d'un ton légèrement agressif en disant ces mots car elle le regarda quelques instants sans rien dire. Il se sentit gêné mais ne trouva rien à ajouter pour rompre le silence.

— Pourquoi tant d'hommes brandissent-ils leur femme comme une ceinture de chasteté ? dit-elle sans qu'il pût deviner si elle était sérieuse ou moqueuse.

Il s'efforça de sourire.

— Ce n'est pas du tout ça. Je suis un mari fidèle. Mais il n'est pas sûr que je serais attiré vers vous si je ne l'étais pas.

— Bien répondu, dit-elle. Mais j'ai rendez-vous chez mon éditeur et je pense bien revenir vers midi. Installe-toi. Je vois que tu as apporté ton machin. Il y a peut-être de la bière dans le frigidaire. Tu peux te faire du café si tu préfères. Ne touche pas aux oeufs, ils datent de mars ou d'avril. Ne réponds pas au téléphone, j'ai mis le répondeur. Mais tu peux téléphoner, je n'ai rien contre. Tu peux même faire des interurbains, à condition que ce ne soit pas pour Moscou.

Elle saisit un porte-documents qui traînait sur le canapé près de lui et sortit.

Resté seul, il regarda autour de lui. L'appartement était banal, si ce n'était des immenses bibliothèques qui couvraient deux murs entiers et dans lesquelles les livres étaient rangés sans ordre apparent. Certains étaient placés droits, comme il convenait. D'autres empilés à plat. D'autres encore, trop hauts pour les rayons, étaient posés de côté ou de biais.

Noël Robert repéra tout à coup la couverture orangée de son propre roman, qui serait passée inaperçue pour tout autre que lui parmi ces centaines de livres de toutes les couleurs.

Mais il avait développé depuis longtemps une capacité étonnante à repérer *L'Homme perdu* sur les rayons des librairies ou des bibliothèques.

Il tendit la main vers le volume, curieux de savoir s'il avait été lu. Quel ne fut pas son étonnement de constater que non seulement la couverture portait des marques de lecture fréquente mais qu'en plus les pages intérieures étaient souvent marquées au crayon feutre jaune.

Il lut quelques-uns des passages ainsi mis en relief. Dans la plupart des cas, il ne se souvenait pas de les avoir écrits, puisqu'il n'avait pas relu son livre depuis sa publication.

La fortune et la puissance lui étant maintenant acquises, il était temps de s'attaquer au plus difficile des objectifs qu'il s'était fixés : le bonheur. Il chercha d'abord à se marier, mais oublia aussitôt pourquoi il se mariait. Oubliant de chercher la femme qui le rendrait le plus heureux, il épousa celle qui renforcerait le mieux sa puissance et sa gloire.

En effet, cela lui semblait bien exprimé, et Noël Robert comprenait que quelqu'un l'eût mis en lumière sous une tache jaune. Il tourna quelques pages...

Elle avait appris à faire l'amour généreusement, sans compter, sans retenue. Et cela, ses clients le sentaient et l'appréciaient. Ils repartaient convaincus de s'être surpassés. Et certains, mariés, s'étonnaient quelques heures ou quelques jours plus tard d'être incapables d'en faire autant avec leur légitime épouse — et c'est celle-ci bien entendu qu'ils accusaient, oubliant que leur incapacité vaincue pour quelques minutes par une compagne temporaire n'en demeurait pas moins réelle.

Noël Robert relut deux fois ce paragraphe. Il lui semblait moins bien rédigé que le précédent.

Il continua à feuilleter le volume, s'arrêta à un troisième passage souligné à l'encre jaune. Puis à un quatrième, et à d'autres encore.

Il cherchait à deviner le sens, non de ce qu'il avait écrit, mais du choix qui avait été fait parmi ce qu'il avait écrit. Ce choix n'était pas évident. Ces passages n'étaient pas toujours particulièrement bien écrits. Ils ne traitaient pas des mêmes sujets, bien que la plupart eussent un rapport avec des personnages féminins. Peut-être y avait-il une tendance à l'aphorisme, à la généralisation, à l'expression d'une certaine forme de sagesse ?

Soudain, tout s'éclaircit. «Est-ce qu'elle me prendrait pour un imbécile ?» se demanda-t-il.

À la lumière de cette hypothèse, il relut plusieurs des passages en jaune. Oui, c'étaient les plus stupides, les plus prétentieux, souvent les plus révélateurs de son ignorance des femmes. «Elle me prend pour le dernier des cons, et elle n'a pas tort. Comment ai-je pu écrire des choses pareilles ?»

Lorsqu'il voulut remettre le livre à sa place, il ne parvint pas à se souvenir de l'endroit exact où il l'avait pris. Il le remit donc au hasard, puis le reprit en se disant qu'il pourrait le garder sans qu'Alice Knoll s'en aperçût. Mais, juste comme il allait le glisser dans sa valise, il eut tout à coup l'impression que, dès l'instant où Alice Knoll entrerait dans la pièce, elle s'écrierait : «Mais, mon petit Noël, qu'as-tu fait de mon exemplaire de ton livre ?» Il le remit donc dans la bibliothèque, puis le changea de rayon. Il tenta, en le replaçant à différents endroits, de trouver celui où il serait le moins visible. Ce fut en vain. Le livre, maintenant qu'il savait où il était, sautait aux yeux parmi tous les autres, avec sa couverture orange et son aspect fort différent de celui des volumes qui l'entouraient, pour la plupart anglais. Même en le mettant tête-bêche, de façon que le titre fût lisible dans le même sens que celui des livres anglais, *L'Homme perdu* demeurait aussi visible qu'une tache de sang sur de la neige fraîchement tombée.

Noël Robert finit par se rendre compte qu'il consacrait un temps fou à ce jeu débile, et il s'efforça de ne plus s'intéresser au livre. Il sortit son Macintosh de sa mallette capitonnée, l'installa sur la table de la salle à manger et s'efforça de penser à autre chose — plus précisément au scénario qu'il devait écrire. Mais rien ne venait, ni à son cerveau ni au bout de ses doigts. De temps en temps, il se retournait pour regarder le livre qui semblait le narguer du haut de son rayon.

Pour se tirer de cette impasse, il poussa quelques touches du clavier, n'importe lesquelles, dans n'importe quel ordre,

150

et écrivit «affa znhd k, c cvkkcv kksd sbgstyysh». Il regarda ces lettres, s'efforça d'y trouver un sens.

«Je deviens fou», se dit-il. Il jeta un coup d'oeil à sa montre. Midi déjà. Il décida de sortir, quitte à entrer dans le premier restaurant venu, où il mangerait n'importe quoi et boirait une bouteille de bière, peut-être même deux ou trois.

Mais il n'avait pas la clé de l'immeuble et il lui serait impossible de revenir. Il resta là, fouilla dans le réfrigérateur encore plus en désordre que la bibliothèque et où pourrissaient quelques restes de fromage au milieu de trois yogourts dont la date limite de consommation était passée depuis longtemps. Il but la seule bouteille de bière qui restait.

Il relut une autre fois tous les passages de son livre qu'Alice Knoll avait soulignés, sans parvenir à se convaincre qu'elle avait pu les trouver bons. Il tenta d'écrire encore, mais revint au livre et en relut encore quelques extraits, cette fois avec la certitude qu'elle ne les avait soulignés que parce qu'elle les trouvait mauvais, puis remit le livre n'importe où en s'efforçant d'oublier où il le laissait.

***

— As-tu faim ? demanda la voix d'Alice Knoll derrière lui.

Il était assis devant l'ordinateur et il ne broncha pas. S'il avait faim ? Oui, il avait faim. Pouvait-il en être autrement ?

— Ça progresse, on dirait, ajouta-t-elle en s'approchant de l'écran où elle lut, à voix basse et comme s'ils étaient tout à fait sensés, les mots «rettey eyuye duud oppfgokxiu».

— Pas tellement, dit-il. Mais je meurs de faim.

— Ça tombe bien, parce qu'on va dîner avec ma meilleure amie, qui est aussi mon agent littéraire. Elle a lu ton livre, et m'a dit qu'elle n'avait jamais rien lu de pareil.

Noël Robert eut envie de demander si c'était elle qui avait marqué des passages dans son exemplaire de *L'Homme perdu*. Mais Alice Knoll était déjà dans la salle de bains.

***

Il n'avait jamais vu le prénom Leslie ailleurs que sur la

couverture des romans de Charteris, auteur de la collection «Le Saint», dont il avait été friand lecteur pendant une année de sa jeune adolescence.

Mais Leslie Purdon et Alice Knoll l'assurèrent qu'il s'agissait bel et bien d'un prénom de femme, et le physique de la personne qui le portait ne laissait subsister aucun doute à ce sujet.

«Elle est plutôt jolie», se dit Noël Robert en pensant qu'elle l'était beaucoup.

Elle s'était jointe à eux dans un restaurant indien. Les deux femmes commandèrent des plats exotiques et fortement épicés, que Noël Robert consomma avec plaisir. Elles parlaient d'une foule de choses qui les intéressaient, elles, mais qui n'intéressaient nullement leur convive. Faisaient-elles exprès ? Ou était-ce inévitable qu'une écrivaine et son agente parlent de ce qui n'intéresse personne d'autre qu'elles-mêmes ?

Ce n'est qu'au dessert qu'elles consentirent enfin à le mêler à la conversation. Leslie Purdon demanda comment le scénario progressait.

— Merveilleusement ! s'exclama Alice Knoll alors que Noël Robert s'apprêtait à ouvrir la bouche pour dire que le scénario progressait très mal, pour ne pas dire pas du tout.

— Noël, ajouta-t-elle, fait un travail extraordinaire. Moi, tu me connais, j'ai déjà beaucoup de mal à m'engager à fond dans mes romans, alors tu imagines ce que je fais d'un sujet imposé.

— En tout cas, tu as de la chance de travailler avec un joli garçon, ajouta Leslie Purdon. Moi, tout ce que j'ai pu me trouver comme clients à part toi, c'est Wayne Grady et Matt Cohen.

Elles rirent. Et Noël Robert, qui n'avait jamais vu les deux écrivains en question (il n'en avait même jamais entendu le nom), rit aussi, de bon coeur.

— Tous les Canadiens français que je connais sont de jolis garçons, dit Alice Knoll sur un ton qui pouvait indifféremment être celui de la pure invention ou de la stricte sincérité. En tout cas, tous ceux avec lesquels j'ai couché.

Noël Robert eut l'impression de rougir.

— Mais Noël est un homme fidèle, assura Alice Knoll.

— Vraiment ?

— Avec moi, en tout cas. Je veux dire qu'avec moi il est fidèle à sa femme.

— J'avais compris. Ça existe encore, des hommes fidèles ?

La question était posée directement à Noël Robert.

— Il faut croire, dit celui-ci prudemment.

L'addition arrivait. Leslie Purdon s'en empara.

— Qu'est-ce que vous faites cet après-midi ?

— Nous travaillons, répondit Alice Knoll en poussant un profond soupir.

— Je peux aller chez toi ? J'ai des coups de fil à donner.

— Bien sûr.

**

Sitôt rentré chez Alice Knoll, Noël Robert s'installa devant son ordinateur, tandis que les deux femmes se dirigeaient vers la chambre et fermaient la porte derrière elles.

Il entendit des rires étouffés, s'efforça de contenir son imagination galopante, se convainquit que cela ne le concernait pas et que, malgré les apparences, elles ne faisaient peut-être rien de ce qu'il imaginait.

N'empêche qu'il trouvait bigrement difficile de se concentrer. Tout ce qu'il pouvait écrire, c'étaient des «eretgr» et autres «dffdffsgh».

— Tu viens avec nous ? fit soudain la voix d'Alice Knoll derrière lui.

Il sursauta, bien qu'il se fût effectivement demandé quelques instants plus tôt comment il répondrait si elles lui faisaient cette invitation, et ne sut absolument pas quoi répondre. Il se retourna tandis que les deux femmes entraient dans le living-room et que Leslie Purdon s'installait au téléphone.

— Nous allons aux Bermudes demain, précisa Alice Knoll. Si ça te tente et si tu as une carte de crédit, on t'emmène.

— Non, merci. J'ai beaucoup de choses à faire.

— Comme tu voudras.

Elle n'insista pas. Noël Robert le regretta.

Le 20 octobre

C'était la première fois depuis au moins deux ans que Noël Robert s'intéressait à sa caravane, abandonnée au fond du garage. Peut-être le goût de s'évader le reprenait-il, comme autrefois lorsqu'il accrochait la caravane derrière la jeep, disait bonjour à sa femme et à son patron et partait quatre ou cinq jours, vers son coin de forêt préféré, à une heure de voiture au nord-est de Mont-Laurier. Il faisait semblant de pêcher, écoutait le cri mélancolique des huards, se faisait d'immenses feux de camp qu'il était seul à regarder. Lorsqu'il revenait en ville, les autres et lui-même lui semblaient beaucoup plus faciles à supporter.

Pourquoi n'achèterait-il pas une voiture ? Pas nécessairement une jeep — n'importe quelle voiture compacte remorquerait sans difficulté sa petite caravane. Et il lui restait assez d'argent pour se la procurer.

Pendant plusieurs minutes, il caressa avec délices l'idée de repartir dans les bois avant que la neige ne se mette à tomber et à rendre impraticables ses bouts de chemin préférés.

Tout à coup, il se souvint de ce qui l'empêchait de partir : il ne récupérerait son permis de conduire que dans six mois.

Déprimé par cette constatation, il alla s'asseoir sur la terrasse, à l'arrière de la maison, même si le temps était maussade et le vent perçant. Le téléphone sonna. Il crut que c'était Roch Marcoux. Il se leva, mais se rassit aussitôt. Roch Marcoux pouvait aller au diable. Et Alice Knoll aussi. Et même France, si c'était elle qui voulait le prévenir qu'elle serait là pour dîner ou qu'elle resterait à Québec. Qu'est-ce que cela pouvait bien faire ?

Mais Noël Robert était incapable de ne pas répondre à un téléphone. Au huitième coup de sonnerie, il se releva et courut vers le téléphone de la cuisine.

— Noël ?

— Oui.

— C'est Marilyn.

Il lui fallut un petit moment avant que la mémoire lui revînt.

— Ah oui, Marilyn.

— J'aimerais te revoir.

Elle voulait le revoir ? Il hésita.

— Ça va m'être difficile. Je n'ai pas de voiture.

Il eut envie de lui expliquer pourquoi. Mais il préférait ne plus y penser et ne plus en parler.

— Je peux passer chez toi.

— J'habite à Saint-Denis, de l'autre côté du Richelieu.

Il avait dit cela comme s'il s'était agi d'un obstacle aussi infranchissable que l'océan Pacifique.

— J'ai la voiture de ma soeur, aujourd'hui.

— Ah bon.

— À quelle heure je peux passer ?

— Je ne sais pas.

— Je peux être là dans une heure ?

France était sortie. Elle lui avait sûrement dit où elle allait et quand elle reviendrait, mais il n'avait pas fait attention.

— Écoutez, vous pouvez toujours passer. Mais s'il y a une Audi bleue devant la porte, continuez tout droit. C'est celle de ma femme.

Il avait pensé plus prudent de lui dire qu'il était marié. Mais peut-être le lui avait-il déjà avoué lorsqu'il l'avait rencontrée le printemps précédent, puisqu'elle répondit sans sourciller :

— Je comprends. Tu peux compter sur moi.

Il lui expliqua le chemin à suivre.

Il transporta sa chaise pliante près de la porte d'entrée, guettant autant l'arrivée de France que celle de Marilyn. Une petite voiture japonaise s'arrêta enfin.

Marilyn le fit monter et l'embrassa sur la bouche avec une familiarité qui l'étonna.

— Où est-ce qu'on peut parler tranquille ?

Une fois, avec Micheline, dans une situation semblable, il était allé dans un chemin de terre, un peu plus loin, qui menait à un petit bois.

— Un peu plus loin, il y a un chemin qui mène à un petit bois.

— *Okay.*

***

Marilyn arrêta la voiture à l'endroit que Noël Robert lui indiqua.

Pendant les cinq minutes que dura le trajet, il l'avait examinée avec attention. Elle était très maquillée. Sa jupe, bien que pas particulièrement courte, dégageait toutefois ses jambes lorsqu'elle était au volant. Marilyn lui paraissait aujourd'hui beaucoup plus attirante que dans son vague — et mauvais — souvenir.

— Tu sais, j'ai lu ton roman et j'ai trouvé ça très bon.

«Elle a sûrement lu celui de Robert Noël», songea-t-il.

— *Les Pompiers siamois ?*

— Non. J'ai juste lu *L'Homme perdu*. Je savais pas que tu en avais écrit un autre.

Incroyable : elle avait lu son roman à lui, et ça lui avait plu ! C'était bien la seule, à part France — et encore il n'était pas sûr que France était sincère lorsqu'elle prétendait que c'était un de ses livres préférés.

— Et ça vous a vraiment plu ?

— Beaucoup. C'était la première fois que je lisais un roman en français.

«Tout s'explique», se dit-il.

— Je regrette beaucoup d'être partie comme ça, l'autre soir, ajouta-t-elle.

— J'avais trop bu.

La main droite de Marilyn se posa sur la cuisse de Noël Robert. Celui-ci sentit les battements de son coeur s'accélérer.

— Puis j'ai pensé à toi l'autre jour, quand j'ai vu ton nom dans le journal.

La main avança vers l'intérieur de la cuisse, remonta un petit peu.

— Tu vas faire un film, à ce qu'il paraît ?

— J'écris un scénario, oui. Avec Alice Knoll.

Il avait prononcé ce nom dans l'espoir de se protéger, peut-être, de la main qui touchait son pénis, lequel ne demandait pas mieux que de se lancer dans une totale tumescence.

— Je me suis demandé si tu pourrais pas me trouver un petit rôle.

À travers la toile mince du pantalon, la main se referma sur le pénis gonflé.

Noël Robert voulut expliquer à Marilyn qu'il n'était que scénariste, qu'il ne pouvait pas distribuer les rôles à volonté, que de toute façon il n'y aurait peut-être pas un seul rôle féminin et que, s'il y en avait un, Roch Marcoux avait probablement toutes les candidates nécessaires. Mais il était trop tard. La main de Marilyn caressait son pénis. Et les siennes se précipitèrent sur sa poitrine, dégrafèrent son corsage.

— Juste un petit rôle, répéta-t-elle en baissant la fermeture éclair de son pantalon.

***

— Laissez-moi ici, dit-il à Marilyn lorsqu'ils reprirent la grand-route.

— Puis mon rôle ?

— Je vais voir ce que je peux faire.

Elle lui donna cinq exemplaires de ses photos de promotion. Dès que la voiture disparut de sa vue, Noël Robert froissa les photos et les jeta dans le fossé.

Il avait bien fait, puisque, quelques minutes plus tard, la voiture de France s'arrêtait près de lui.

— Tu fais ta marche de santé ?

— Oui.

— Tu montes ?

Il hésita. Peut-être avait-il une odeur de parfum ? Ou des traces de rouge, même s'il s'était efforcé de tout enlever ?

— Non, je préfère marcher.

Rentré à la maison, il monta directement à la salle de bains.

Le 4 janvier

N oël Robert demanda si Madame Knoll était arrivée. La préposée aux inscriptions du Château Frontenac consulta un écran d'ordinateur, lui répondit que non, mais sur un ton qui pouvait laisser soupçonner qu'elle n'en était pas tout à fait sûre.

Il monta au seizième étage, dans sa chambre qui donnait sur l'est de la ville. Avant même d'ouvrir ses valises, il examina longuement le paysage. La citadelle, à gauche. Le parc des Champs de Bataille, un peu plus loin, où de nombreux skieurs profitaient des dernières heures de soleil. Droit devant, l'Assemblée nationale, écrasée par les édifices du Complexe G et des grands hôtels. À droite, les Laurentides, loin derrière la rivière Saint-Charles, qu'on devinait seulement à une descente du terrain.

Il défit ses valises, se déshabilla dans l'intention de se changer, mais revint s'installer devant la fenêtre pour regarder le soleil couchant.

On frappa à la porte. Il enfila rapidement le pantalon qu'il venait d'ôter et alla ouvrir. C'était Alice Knoll, visiblement surexcitée.

— J'ai notre scénario ! s'écria-t-elle.
— Oui ? Depuis quand êtes-vous arrivée ?
— Vers midi.
— On m'a dit tout à l'heure que vous n'étiez pas là.
— Ah, c'est parce que je ne suis pas seule. On a mis la chambre à son nom.

Pendant un instant, Noël Robert crut qu'il s'agissait d'un homme. Puis il se répéta mentalement la phrase d'Alice Knoll et conclut qu'il pouvait aussi bien s'agir d'une femme. Leslie Purdon, peut-être ? Si ça avait été le cas, elle aurait dit «au nom de Leslie». Il eut envie de lui poser une question discrète ou amusée pour tirer cela au clair, mais hésita jusqu'à ce qu'il fût trop tard.

— Regarde ce que j'ai trouvé, triomphait Alice Knoll en brandissant un magnétophone miniature.

Elle le mit en marche. Une musique pompeuse emplit la chambre. Puis une voix dramatique se fit entendre...

«Québec. Porte ouverte sur un continent. Forteresse qui domine le fleuve...»

— Ce n'est pas là, c'est plus loin, dit Alice Knoll en mettant l'appareil en avance rapide.

Noël Robert avait reconnu la voix de Roland Chenail.

— Je ne savais pas que vous utilisiez ce genre de machin, s'étonna-t-il pendant que le «machin» faisait le bruit de ce genre d'appareil qui tourne à toute vitesse.

— Leslie me l'a donné en cadeau, à Noël. Pour prendre des notes, c'est épatant. Quand j'en prends beaucoup, je les fais retaper par ma dactylo. Cet après-midi, je suis allée au Musée du Fort. Tout à fait rétro, avec une vieille maquette poussiéreuse et des petites lumières et des canons qui font de la vraie fumée et tout. Je me suis follement amusée. Et j'ai enregistré le commentaire. Tout notre scénario est là.

— Vraiment ?

— Écoute.

Elle posa l'appareil sur la commode.

— C'est ici. Moi, je prends une douche, dit-elle en appuyant de nouveau sur un bouton de l'appareil.

«1756. Une fois de plus, la Grande-Bretagne et la France se font la guerre. Pour la première fois, des troupes armées régulières sont expédiées pour combattre sur le continent américain. Le marquis de Montcalm prend le commandement des forces françaises au Canada...»

Dix minutes plus tard, Alice Knoll sortit de la douche dans une serviette négligemment serrée autour de son buste et arrêta l'appareil devenu silencieux à la fin de l'enregistrement.

— Voilà ce qu'aurait dû nous envoyer cet idiot d'Anastase, maugréa-t-elle. Notre film, c'est ça, rien de plus. On n'a qu'à tout faire copier par ma dactylo, et le tour est joué.

— Ça me semble un peu court, dit Noël Robert, peu impressionné.

— Qu'est-ce qu'il te faut de plus ? Quelques dialogues, peut-être. Mais l'essentiel est là. Tu as remarqué Montcalm : «Ce n'est rien, ce n'est rien, ne vous affligez pas pour moi, mes amis»...

Elle lui tourna le dos, laissa tomber la serviette et remit les vêtements qu'elle avait laissés s'empiler par terre.

— Je suppose que vous dînerez avec votre compagnon, fit Noël Robert en affectant la plus parfaite indifférence.

— Mon compagnon ? Ah oui ! Mais si tu veux te joindre à nous, tu es le bienvenu.

— Non, je ne disais pas ça pour ça. J'aimerais travailler.

— Comme tu voudras.

Il se fit monter un sandwich et un verre de vin, mais ne travailla pas du tout, ce soir-là. Il passa encore de longues minutes à se demander si Alice Knoll était avec un homme ou avec une femme. Sa surprise manifeste lorsqu'il lui avait parlé de «son compagnon» lui laissait croire que c'était probablement une femme. Mais plus il y pensait, moins il était sûr qu'il y avait quelqu'un avec elle.

***

Il téléphona à France et ils se parlèrent plutôt longuement pour deux personnes ayant peu de choses à se dire. Il lui affirma regretter que le hasard n'eût pas voulu qu'elle soit à Québec avec lui, et il lui dit qu'Alice Knoll était venue avec un homme qu'il n'avait pas rencontré.

Après avoir regardé les informations télévisées sur trois chaînes différentes, il se coucha et s'endormit rapidement.

Le 5 janvier

*D*ès sept heures, il était debout, avait pris sa douche et s'apprêtait à se mettre au travail. Il écouta encore deux fois la bande enregistrée que lui avait laissée Alice Knoll, n'y trouva à peu près rien qu'il ne sût déjà, et en vint à la conclusion qu'elle lui avait remis la bande uniquement pour faire semblant de contribuer à la rédaction du scénario.

À huit heures, Alice Knoll téléphona.

— Bien dormi ? lui demanda-t-elle.

— Oui. Vous voulez qu'on travaille ce matin ? On peut aller déjeuner.

— Moi ? Je n'ai pas dormi de la nuit. Je te téléphonais seulement pour te dire de ne pas me réveiller.

— Je comprends. Je peux me débrouiller tout seul. Je vais aller faire un tour à Lévis, voir de quoi Québec a l'air, vu de l'autre côté.

— C'est une excellente idée. On se retrouve pour le lunch, si tu veux.

— Comme vous voudrez.

***

Dès qu'il fut sur le traversier, il fut étonné de voir les glaces à la surface du fleuve remonter à contre-courant. Il saisit ce que voulaient dire les historiens au sujet de l'utilisation de la marée par les Anglais. Avec un courant pareil, ils n'avaient qu'à se laisser porter jusqu'en amont de l'anse au Foulon, pour se laisser redescendre au moment propice.

À Lévis, Noël Robert remarqua l'allure de village tranquille de cette ville de banlieue à cinq minutes de Québec. Il avait la manie, partout où il allait, de se demander s'il aimerait vivre là. Et il conclut que si jamais il décidait de venir habiter à Québec, c'est à Lévis qu'il s'installerait. Il emprunta l'escalier qui gravissait la falaise, marcha ensuite jusqu'à se retrouver en face du centre de Québec. Dans un terrain enneigé, entre deux maisons, près d'une croix, il s'arrêta pour contempler le fleuve et la ville.

De ce côté, il pouvait voir presque entièrement le théâtre des opérations. À l'extrême droite, il lui était presque possible d'apercevoir l'île d'Orléans, qu'il avait examinée du traversier. La côte de Beauport, où s'étaient retranchés les Français, se laissait deviner derrière ce qu'il crut être le Bassin Louise. À gauche, passé la citadelle, il apercevait le début du parc des Champs de Bataille. Plus loin encore, et plus bas, l'anse au Foulon se cachait quelque part derrière des citernes érigées au bord du fleuve.

Il constata avec étonnement combien courtes étaient les distances qui séparaient les différents points stratégiques. Tout profane qu'il était, il lui paraissait évident que la ville était à portée des canons anglais. Pour les Anglais installés sur l'île d'Orléans, la côte près des chutes Montmorency représentait un objectif apparemment facile à atteindre. Quant au camp de Beauport, il était tout de même assez loin des plaines d'Abraham. Les Français avaient dû se hâter, courir presque pour être si tôt sur le champ de bataille.

Lorsque Noël Robert eut bien étudié le paysage, il revint sur ses pas, reprit le traversier, remonta à la terrasse Dufferin par le funiculaire et emprunta la promenade des Gouverneurs le long de la falaise juste sous la citadelle. Il arpenta longuement les plaines d'Abraham, en se gardant d'abîmer les sentiers de skieurs.

Il poussa plus vers l'ouest, jusqu'à un grand bâtiment abandonné. Il se demanda si c'était bien là la vieille prison signalée par Alexandre Anastase et en eut la confirmation lorsqu'il aperçut des barreaux rouillés, à travers le coin abîmé du panneau de contre-plaqué qui bouchait une des fenêtres. C'était donc là qu'avait pris position la droite des Anglais, alors que les Français s'étaient installés droit devant, de l'autre côté d'une petite hauteur — sûrement les buttes à Nepveu.

Il revint au Château Frontenac par la Grande-Allée et la rue Saint-Louis. Une note l'attendait.

«Nous sommes au Continental, à côté, si tu veux nous rejoindre pour le lunch. A.K.»

Il ressortit aussitôt, curieux de connaître enfin ce mystérieux individu, qu'il fût homme ou femme. Mais le Continental était fermé. Il avisa un autre restaurant, tout près de là, et y déjeuna assez convenablement.

Il revint à l'hôtel, demanda la chambre de madame Knoll. Pas de réponse.

Elle ne le rappela que vers trois heures de l'après-midi.

— J'ai trouvé un endroit où ils louent des skis. Ça te dirait d'aller voir de quoi ça a l'air, les plaines d'Abraham ?

— J'y suis allé ce matin. Mais où avez-vous déjeuné, finalement ?

— Le Continental était fermé. J'étais sûre que tu devinerais que nous serions au Café de la Paix, à côté. C'est là que vont tous les Québécois de Québec, paraît-il.

— Je l'ignorais.

— Dommage. On a beaucoup parlé de toi.

***

Il travailla un peu, sans conviction. Alice Knoll le rappela vers six heures, lui demanda s'il avait envie de prendre l'apéritif dans sa chambre à elle. Il prétexta qu'il ne se sentait pas très bien.

— Tu es vexé, on dirait...

— Moi ? Non. Pourquoi je serais vexé ?

— Je ne sais pas. Parce que je t'abandonne tout le temps.

— Il faut croire que j'aime être abandonné.

Elle commença à rire. Il raccrocha avant qu'elle eût terminé.

Il repartit le soir même, sans lui avoir parlé de nouveau.

***

En arrivant à Saint-Denis, il demanda à France ce qui se passerait, à son avis, s'il démissionnait maintenant.

— Je pense que Roch Marcoux pourrait au moins réclamer que tu lui rendes l'avance qu'il t'a versée. S'il veut être
salaud, il peut même te réclamer des dommages-intérêts si ça
nuit à la production du film. Pourquoi ? Tu as envie de laisser
tomber le scénario ?

— Non, pas vraiment ; je demandais ça comme ça.

Le 28 avril

L a mère de Gaston McAndrew avait découpé l'annonce dans *Le Soleil* et l'avait déposée sur la table de son fils. Celui-ci remplit consciencieusement le coupon-réponse : nom, adresse, numéro de téléphone, taille et poids. Il cocha la case «Membre des forces armées». Et il ajouta, en grosses lettres rouges, l'inscription «Anglais, S.V.P.». Il glissa le coupon dans une enveloppe qu'il alla aussitôt porter au bureau de poste, où il s'enquit du moyen le plus rapide pour faire livrer une lettre à Montréal.

— À ta place, conseilla la postière sans se donner la peine de lui demander de quoi il s'agissait, je prendrais le courrier exprès.

— Bon, bien, envoyez ça par courrier exprès, décida Gaston McAndrew sans bien savoir de quoi il s'agissait.

Noël Robert était assis devant son ordinateur, dans son bureau. Il regardait en direction de la rivière. Parfois, il réfléchissait, se concentrait sérieusement, cherchait la réponse à des questions ou cherchait des questions qui amèneraient des réponses. À d'autres moments, il ne pensait pas vraiment, rêvassait, son cerveau se contentant de ne rien faire d'autre qu'enregistrer ce que ses yeux et ses oreilles percevaient.

Subitement, il pivotait d'un quart de tour sur sa chaise et agitait ses doigts sur les touches du clavier. Pas tous les doigts — seulement les deux index. Mais à une vitesse affolante. Pendant ce temps, il ne levait pas les yeux du clavier. Et les lettres, les mots, les lignes, les paragraphes entiers s'inscrivaient sur l'écran, bourrés de fautes de frappe et de répétitions tandis que d'autres mots étaient tout simplement oubliés. Le tout accompagné d'un cliquetis aussi rapide qu'un bruit de dents dans un lit glacé. Puis tout s'arrêtait, sans raison apparente. Noël Robert regardait alors l'écran, sans le relire — juste pour s'assurer que tout était rédigé à peu près comme il l'avait souhaité. Souvent, un soupir agacé lui échappait s'il s'apercevait qu'il venait par erreur d'écrire deux ou trois lignes en lettres majuscules et qu'il devrait les reprendre.

Mais presque toujours l'écran lui représentait fidèlement tout ce qu'il avait écrit, avec les fautes, les erreurs, quelquefois aussi de trop rares trouvailles.

Il s'habituait à la nature de son travail. Au début, il en avait eu peur. Il avait écrit un roman, jadis. Mais un scénario, il s'en était douloureusement rendu compte, c'était tout autre chose : une demi-oeuvre sans rapport absolu avec ce que le cinéphile verra un jour sur l'écran ; une oeuvre fragile et éphémère. Du film qui en sortirait éventuellement, on retiendrait le nom du metteur en scène et des principales vedettes, peut-être. Mais sûrement pas celui des scénaristes.

D'une certaine manière, cela l'arrangeait d'écrire sans métier, comme un débutant, car il ne connaissait rien de l'art du scénariste ni de celui du cinéaste. Il était prêt à croire tout ce qu'on lui disait — fût-ce Alice Knoll, Roch Marcoux ou Luc Augeay. Eux connaissaient le cinéma. Il écoutait tous leurs conseils comme si c'étaient des ordres.

Il lui arrivait de s'étonner de sa propre docilité. Plus dociles encore, ses doigts notaient par l'intermédiaire du clavier ce qu'il croyait qu'on voulait qu'il écrive.

En fait, il commençait à écrire avec indifférence, même si cela lui demandait sans doute plus d'efforts que d'écrire autrement. Mais au moins il écrivait. Le scénario, depuis quelques mois, commençait à prendre forme — une forme qu'il avait lui-même du mal à saisir mais qui semblait satisfaire Roch Marcoux. Même Alice Knoll, de temps à autre, lui téléphonait pour lui dire que telle ou telle séquence dont elle venait de recevoir le texte était très bien.

Soudain, la porte de la voiture de France claqua, devant la maison. Il y eut des pas, la porte de la cuisine s'ouvrit. Des sacs d'épicerie furent déposés sur la table. La porte de la cuisine se referma. Pendant quelques minutes encore, tandis que Noël Robert regardait par la fenêtre, il y eut des bruits de portes d'armoire et de réfrigérateur qui s'ouvraient et se fermaient. Puis quelques pas dans l'escalier.

Aussitôt, Noël Robert se remit à taper furieusement sur le clavier, sans trop comprendre ce qu'il écrivait. Il ne s'interrompit que lorsqu'il devina la tête de France au haut de l'escalier.

Il se tourna vers elle.

— Je peux te parler ? demanda-t-elle.

— Oui.

Elle monta pour de bon, vint jeter un coup d'oeil par-dessus son épaule.

— Ça va comme tu veux ?

— Presque.

— J'ai eu du maïs de Floride. Il a l'air très bon.

Elle marcha jusqu'à la fenêtre, regarda la rivière.

— Ah oui, on a une nouvelle voisine ! s'exclama-t-elle soudain sur un ton qui fit croire à Noël qu'elle n'était montée le voir que pour ça. Une Anglaise qui a loué la maison des Chagnon. Une madame Sidney.

— Tu l'as rencontrée ?

— Oui, chez Lachapelle. Madame Lachapelle me l'a présentée.

— De quoi elle a l'air ?

— D'une Anglaise. J'ai pensé à Alice Knoll en la voyant.

— Pourquoi ?

— Je sais pas. Ce que tu m'as dit d'elle. Mais je pense qu'elle est plus jolie.

— Alice Knoll ?

— Non. Madame Sidney.

Pris d'un doute subit, Noël Robert se remit à taper plus fébrilement encore sur son clavier. France descendit aussitôt comme s'il lui avait donné l'ordre de le laisser tranquille.

— Je m'occupe du souper, dit-elle pour faire comme si elle s'en allait de son propre chef.

Il ne travailla que très distraitement. Pendant trois ou quatre longues minutes, il chercha une excuse pour sortir. Il n'en trouva pas, descendit tout de même, comptant sur une inspiration de dernière seconde ou sur l'espoir que France ne lui demanderait pas où il allait.

— Où vas-tu ? lui demanda-t-elle en le voyant traverser la cuisine.

— Dehors, répondit-il comme un enfant qui ne va nulle part.

***

Il lui fallut moins d'une minute pour arriver à la maison des Chagnon. En fait, du salon des Robert, on la voyait fort bien, en retrait, de l'autre côté de la route, vieille maison de bois au vaste balcon sur trois faces.

Il alla frapper à la porte. Alice Knoll vint presque aussitôt répondre.

— Madame Sidney ? demanda-t-il d'un ton sarcastique.

— Ah, je parie que France, c'est la femme qui achetait du maïs chez l'épicier ? Bravo, elle est très jolie.

— Écoutez, je ne sais pas ce que vous faites ici. Nous travaillons ensemble — si on peut appeler ça travailler ensemble — à un scénario. Mais cela s'arrête là. J'ai ma femme, ma maison, mon village. Cela m'appartient. Vous n'avez pas le droit de venir me relancer ici sous un nom d'emprunt.

— Madame Sidney ? Oh, je prends toujours un nom d'emprunt. Il n'y a rien de plus agaçant qu'entrer dans une épicerie et se faire demander : «Dites donc, vous ne seriez pas l'Alice Knoll qui écrit des romans ? J'ai lu *La Femme de mauvaise volonté* et j'ai adoré. J'aimerais vous présenter mon mari. Il ne lit jamais, mais je lui ai beaucoup parlé de vous. Et il ferait un vrai personnage pour un de vos romans, vous savez. Ernest !»

Elle avait dit tout cela sur le ton d'une snob ou d'une idiote ou des deux à la fois, et Noël Robert ne put s'empêcher de sourire.

— C'est pour cela que j'utilise des noms d'emprunt. Pas pour me cacher de ta femme. Si j'avais su que c'était elle, je me serais présentée sous mon vrai nom.

— Mais qu'est-ce que vous venez faire ici ?

— J'ai terminé ma pièce de théâtre plus tôt que prévu, mais les répétitions sont retardées d'un mois. Et nous avons un scénario à terminer. Roch Marcoux m'a téléphoné pour me dire qu'il serait temps que je fasse ma part. Un ami de Winnipeg a déjà loué cette maison. Il m'a donné le numéro de téléphone de la propriétaire. Je lui ai téléphoné hier et j'ai loué la maison jusqu'en septembre. J'ai roulé presque sans arrêt, et me voici, prête à travailler à fond quand ça te plaira, et à te ficher la paix quand tu ne voudras pas me voir. Mais si cela ne fait pas ton affaire, je peux repartir tout de suite.

— Excusez-moi. Ça ira. Vous pouvez rester.

Il lui tourna le dos, descendit les marches du balcon.

— Restez, ajouta-t-il encore comme s'il avait craint de ne pas avoir été clair.

— Merci, dit-elle.

Il eut envie de se retourner, juste pour voir si sa physionomie semblait aussi sincère que le ton de sa voix. Il se contenta de regarder à droite et à gauche si des voitures approchaient. Mais cela ne suffit pas à amener Alice Knoll dans son champ de vision.

***

Lorsqu'il rentra chez lui, il ne laissa pas à France le temps d'ouvrir la bouche.

— C'est elle, dit-il.

— Qui ?

— C'est Alice Knoll.

— Je m'en doutais.

— Elle s'était aussi doutée que c'était toi qu'elle avait rencontrée chez Lachapelle. D'ailleurs, elle te trouve très jolie.

— C'est gentil de sa part, dit France, qui avait appris à se méfier d'une femme qui dit des compliments d'une autre femme.

Elle prit la voiture et passa chez Alice Knoll pour l'inviter à dîner, le soir même.

***

Malgré le peu de temps dont elle disposait, France réussit parfaitement son souper. Et en dépit des craintes de Noël, Alice Knoll se conduisit de façon parfaitement distinguée, sembla tout fait épatée que France fût députée. Noël, qui ignorait tout des idées politiques d'Alice Knoll, s'efforçait de détourner la conversation chaque fois qu'on abordait ce terrain dangereux.

Mais comment aurait-il pu prévoir que du scénario on passerait si rapidement à la politique ?

— Alors, vous aimez travailler avec Noël ? demanda France en mélangeant la salade.

— J'adore ça. Nous avons des variantes parfaitement complémentaires du complexe des plaines d'Abraham.

France ouvrit de grands yeux. Noël fronça les sourcils. Alice Knoll poursuivit en mâchonnant une dernière bouchée de râble de lapin au poivre rose.

— Les Canadiens français, quelle que soit leur option politique, savent qu'il leur faut à tout prix éviter de répéter la bataille des plaines d'Abraham. Qu'ils soient prêts à tous les compromis avec le Canada anglais ou qu'ils préfèrent se séparer du reste du pays, la tactique est la même : éviter l'affrontement. C'est du reste la tactique que s'efforçait d'adopter Montcalm, si j'ai bien compris. Et tant que vous ne vous battez pas, vous vous imaginez que vous ne risquez pas de perdre. Ce qui est aussi faux que le contraire.

Noël regardait Alice Knoll avec curiosité. Croyait-elle vraiment ce qu'elle disait, ou racontait-elle n'importe quoi, juste pour s'amuser ?

— Vous disiez, reprit France sérieusement, que vous et Noël aviez deux complexes complémentaires. Quel est le vôtre ?

— Ah, c'est celui qu'ont tous les Canadiens anglais dès qu'on leur apprend qu'ils ont battu les Français sur les plaines d'Abraham : nous avons gagné, un point c'est tout. Et si vous n'êtes pas contents, vous n'avez qu'à retourner en France.

Noël jeta un coup d'oeil du côté de France, dont le visage s'était empourpré. Il lui prit la main pour la calmer.

— Encore un peu de lapin ? demanda-t-elle.

— Très volontiers.

France réussit à lancer Alice Knoll sur un sujet moins délicat : ses tournées. Ses mésaventures australiennes firent les frais de la conversation jusqu'au dessert.

— Une dernière chose au sujet de la bataille des plaines d'Abraham... lança tout à coup Alice Knoll après avoir décrit une soirée de lecture à Melbourne où des écrivains du lieu lui avaient reproché de se laisser passer pour une écrivaine américaine.

Elle avait interrompu son début de phrase, comme pour demander la permission de continuer. Noël regarda sa femme, qui ne bronchait pas.

— Oui ? demanda enfin France après quelques secondes d'un lourd silence.

— Ce qui est regrettable, c'est que les Canadiens français n'auront jamais l'occasion d'effacer cette défaite par une véritable victoire. Jamais un référendum ou des élections ne pourront venger l'humiliation d'une défaite par les armes. Même dans une bataille si ancienne. Dommage...

Noël regarda encore sa femme, qui ouvrit la bouche, hésita quelques instants avant de se lever pour servir le café. Son regard revint ensuite à celui d'Alice Knoll. Il lui semblait qu'elle lui faisait un clin d'oeil, mais si rapide qu'il était impossible d'affirmer qu'il avait vraiment existé.

*F*rance n'est pas là ?
— C'était Alice Knoll qui entrait par la porte de la cuisine et qui posait cette question stupide — comme s'il n'avait pas été évident que France n'était pas plus là que sa voiture. Noël Robert ne se donna pas la peine de répondre.

Bientôt sa tête parut dans l'escalier, comme s'il lui avait dit de monter.

— J'arrive de Montréal et j'ai deux choses pour toi, annonça-t-elle joyeusement.

Curieux, Noël Robert oublia un instant sa mauvaise humeur.

— D'abord, un jeu de société qui va t'inspirer.

Elle lui tendit une boîte mais ne lui laissa même pas le temps de la regarder.

— J'ai aussi un livre très, très bien.

Il ne lui fallut qu'une seconde pour reconnaître le roman de Robert Noël. Il le prit nonchalamment.

— C'est bon ?

— Très. Quand je l'ai acheté, j'ai cru que c'était de toi. Noël Robert, Robert Noël, c'est presque pareil, non ?

— Je n'y avais pas pensé.

— Puis j'ai commencé à le lire et je me suis vite aperçue que tu ne pouvais pas avoir écrit ça. Ensuite, je ne sais pas trop comment cette idée-là m'est venue, je me suis même dit que ce type-là ferait un excellent scénariste.

Noël Robert fit un effort surhumain pour garder sa contenance indifférente.

Il allait ouvrir la bouche pour dire que oui, il commençait à croire qu'il y avait eu une méprise, lorsqu'elle ajouta :

— En tout cas, je suis ravie que ce soit toi qu'ils aient choisi.

***

Ils travaillèrent pendant deux bonnes heures — leur record ! — à une scène dans laquelle Wolfe, revêtu d'un uniforme de simple soldat, se promenait au milieu du bivouac en cherchant à savoir ce que ses hommes pensaient de lui. Bien entendu, ils le reconnaissaient tous, mais ils faisaient semblant que non. Et, après avoir dit du bien du général, ils se mettaient à le traiter de lâche et d'imbécile. Wolfe encaissait les coups avec le plus grand sérieux. Il s'éloignait pour regagner sa tente, tandis que ses hommes se mettaient à rire aux éclats. Wolfe entendait leur rire juste au moment où il écartait la toile de sa tente. Il en éprouvait un mélange de déplaisir et de fierté. La scène pouvait être amusante. Mais Alice Knoll, qui en avait eu l'idée, était incapable de dire où elle se situerait dans le film.

Après deux heures, elle bâilla, s'étira, se déclara fatiguée et rentra chez elle.

Noël Robert réfléchit quelques instants, puis téléphona à Roch Marcoux.

— Écoutez, il y a quelque chose que je dois vous dire avant que vous ne l'appreniez de quelqu'un d'autre.

— Oui ?

— Voilà. Quand Jacques Gadbois vous a recommandé un écrivain, êtes-vous sûr que c'était Noël Robert qu'il a dit, et non Robert Noël ?

Il y eut un silence.

— Je me souviens pas. Qu'est-ce que ça peut faire ?

— C'est parce que je commence à croire que c'est Robert Noël que Gadbois vous suggérait.

— Et puis après ?

— Eh bien...

Roch Marcoux venait d'apprendre qu'il s'était trompé de scénariste pour la production cinématographique la plus coûteuse jamais entreprise au Canada, et il ne trouvait rien d'autre à dire que : «Et puis après ?»

— Tout ce que je sais, dit Roch Marcoux, c'est que j'ai signé un contrat avec Noël Robert et que c'est Noël Robert qui écrit mon scénario avec Alice Knoll. Le reste, je m'en sacre.

— Bon. Comme vous voudrez.

Après avoir raccroché, Noël Robert se sentit plus désemparé que jamais. Il croyait, en téléphonant à Roch Marcoux, avoir trouvé la solution à son problème : on lui retirerait la rédaction du scénario. Comme c'était lui qui avait dénoncé sa supercherie involontaire, on pourrait difficilement exiger qu'il rende les vingt-cinq mille dollars qu'on lui avait versés, qu'il avait reçus en toute bonne foi et qu'il avait presque entièrement dépensés.

Mais il restait pris avec ce satané scénario. Il sentit les larmes lui monter aux yeux. Juste à ce moment, il aperçut la boîte que lui avait laissée Alice Knoll.

**

En rentrant de Québec, France Robert trouva son mari devant un jeu de société étalé sur la table de la cuisine.

— Qu'est-ce que c'est ? demanda-t-elle en fronçant les sourcils.

— Quoi ? Ça ? dit-il comme s'il n'avait pas immédiatement compris le sens de sa question.

Conscient qu'il avait l'air d'un enfant surpris à s'amuser alors qu'il est censé faire ses devoirs, il répondit de son air le plus sérieux.

— C'est pour le film.

— Pour le film ?

— Oui, c'est un jeu de société au sujet de la bataille des plaines d'Abraham — ou plutôt sur *les* batailles des plaines d'Abraham. D'un côté, il y a la bataille de 1759. De l'autre, c'est Sainte-Foy, en 1760.

D'un grand geste de la main, il écarta les jetons de plastique multicolores qu'il avait placés sur un côté du plateau de jeu. Il retourna le plateau, lui montra le verso.

— Tu vois ?

— Très intéressant, dit France d'un ton gentiment sarcastique.

— Ça s'appelle Revanche — *Revenge* en anglais. Le jeu fait en sorte que les Français ont plus de chances que les Anglais en 1759. Et les Anglais ont plus de chances de gagner l'année suivante. L'auteur soutient que c'était comme ça dans les vraies batailles : que les Français avaient les meilleures positions en 59, et les Anglais en 60. D'ailleurs, le jeu est très ingénieux et semble parfaitement réaliste. Par exemple, les Amérindiens — ce sont les jetons bruns — ont toujours le dessus lorsqu'ils s'attaquent à des groupes de moins de vingt personnes. Mais on ne peut pas les utiliser plus d'un tour sur deux, parce que les Amérindiens avaient, paraît-il, l'habitude de rentrer chez eux quand ils en avaient envie. C'est très intéressant, tu devrais jouer.

— Pas tout de suite.

— Après le souper, peut-être ?

***

Noël servit à dîner, mangea rapidement, commença à ranger la vaisselle avant que France n'ait vidé son assiette.

Elle sourit de voir sa hâte.

Il ramassa enfin l'assiette de France, la mit au lave-vaisselle, mais, contrairement à son habitude, ne mit pas celui-ci en marche tout de suite.

— Tu as toujours envie de jouer une partie ?

— Si tu veux, soupira France.

— On joue à 1759 ou à 1760 ?

— Ton film, c'est pas 1759 ?

— Justement, j'ai pensé qu'on pourrait faire démarrer le film à partir d'une scène de jeu. Pas nécessairement ce jeu-là. Peut-être un jeu qu'on inventerait. Et on verrait les rois de France et d'Angleterre — Louis XV et George quelque chose pour les Anglais — disposer leurs pièces sur un grand échiquier qui représenterait l'Amérique du Nord. Ça pourrait se faire en animation, ou avec des personnages en argile. Ce que je voudrais, c'est expliquer le contexte historique dès le début du film, de façon à permettre au spectateur de bien se situer. D'ailleurs, je trouve que cette guerre-là, de ce côté-ci de l'Atlantique, en tout cas, était presque un jeu de guerre.

— Je ne t'ai pas demandé de te justifier.

— Je sais. Quel côté tu veux ?

— Ça m'est égal.

— Tu veux les Français ?

Elle devina qu'il avait envie de les avoir, sinon il ne les lui aurait pas offerts.

— Non, passe-moi les Anglais.

***

La partie dura plus d'une heure. Manifestement, France n'était pas particulièrement passionnée par le jeu. Noël, lui, y prenait un plaisir qu'il ne se donnait pas la peine de cacher. Il riait de ses bons coups, se moquait de lui-même lorsqu'il jouait mal, prodiguait des conseils à France, qui n'en suivait que la moitié.

— J'ai l'impression, dit-elle enfin, que je suis en train de perdre.

— On ne peut rien te cacher. Ta troisième vague d'assaut est encore dans les barques tandis que mes troupes sont en train de forcer tes soldats à descendre en bas de la falaise.

-— J'ai perdu ?

— Je ne vois pas comment tu peux t'en tirer.

— Qu'est-ce je fais, alors ?

— Tu peux te rendre.

— Et ensuite ?

— Si j'accepte, je gagne.

— Si je ne me rends pas ?

— On continue.

— Bon, je capitule. C'est toujours toi qui gagnes, à tes jeux.

— On n'a pas joué depuis des années.

— Parce que c'est toujours toi qui gagnes.

— Cette fois-ci, ce n'est pas ma faute, les Français étaient les plus forts avant même de commencer.

— Tu aurais gagné même avec les Anglais. Tu gagnes toujours.

— Tu veux qu'on essaie ?

— Non, merci.

Le 4 juillet

— *S*i on travaillait, maintenant ? suggéra Noël Robert. Sans doute avait-il eu un mouvement d'impatience ou un ton quelque peu agressif, car Alice Knoll s'écarta de la fenêtre à carreaux d'où elle examinait la rivière et vint s'asseoir sur la chaise libre à côté de lui. Depuis deux mois qu'elle venait chez lui presque tous les matins, ils n'avançaient pas plus que lorsqu'elle était à Londres, en Californie ou en Australie.

— Si ça vous dérange, offrit-il, je peux fermer l'ordinateur et on travaillera au stylo.

— Non, non, ça va très bien comme ça.

— Hier après-midi, j'ai commencé une nouvelle liste des séquences pour voir ce qui nous manque. C'est surtout au début qu'on a des trous. J'ai fait la liste en mode plan.

— En mode plan ?

— Oui, regardez. J'ai seulement la liste des séquences. Je fais Commande U et je vois maintenant tout ce que j'ai… que nous avons écrit dans chaque séquence. Je refais Commande U et je ne vois plus que la liste des séquences.

— C'est épatant. Mais ça sert à quoi ?

— À voir la liste quand je ne veux voir que la liste. Et à voir tout le texte quand je veux.

— Ah bon.

— On peut travailler autrement, si vous préférez…

— Non, non, ça va très bien comme ça.

— Avant le générique, j'ai pensé qu'on pourrait placer la scène de Montcalm qui passe ses troupes en revue, avec

Wolfe de l'autre côté, qui l'aperçoit et qui fait donner une salve de canon pour le saluer.

— Oui, c'est une de tes plus belles scènes.

— Ça permet de situer le siège en quelques secondes. Peut-être avec un sous-titre qui précise : «Québec 1759.»

— Pourquoi pas ?

— Dans le générique, j'imagine des illustrations de Québec. Des illustrations de style ancien, je suppose. Peut-être les plans des fortifications de Chaussegros de Léry, qui montreraient Québec comme une forteresse imprenable. Ou même des vieilles gravures de la bataille. Mais ce sera l'affaire du réalisateur. J'ai seulement mis quelques suggestions.

— Oui, bien sûr.

— Les premières vraies séquences pourraient être celles-ci. D'abord, au coucher du soleil, le 12, dans la maison de Vaudreuil, à Beauport. Vaudreuil donne à un officier l'ordre de faire passer le convoi de ravitaillement. Et il précise qu'il faudra aussi donner l'ordre à Bougainville et aux postes de garde de laisser passer le convoi. Il ne reste plus qu'à l'écrire. Ça vous va ?

— Oui. Mais c'est si important, cette histoire de convoi ?

— C'est crucial. Sans cette histoire de convoi, les barques de Wolfe n'auraient probablement pas pu débarquer sans donner l'alerte.

— Ah bon.

— La séquence suivante serait du côté des Anglais, dans la tente de Wolfe, à Lévis. J'avais déjà un premier brouillon. Wolfe donne une série d'ordres à ses officiers supérieurs réunis. De faire donner du canon sur le camp de Beauport, de façon que les Français croient à une attaque de ce côté-là. L'un d'entre eux demande ce que Wolfe compte faire. Et Wolfe refuse de répondre. En maugréant, les officiers sortent, et l'un d'eux fait une allusion désobligeante à la tentative de débarquement de Montmorency. Ça vous va comme ça ?

— Ensuite ?

— Ensuite, on coupe au débarquement à Montmorency, en rétrospective.

— C'est prévu au budget ?

184

— Quoi ?

— Qu'on recrée le débarquement de Montmorency ?

Depuis quand Alice Knoll se préoccupait-elle du budget ? C'est à peine si elle s'intéressait au scénario. Noël Robert commença à avoir envie de lui offrir de laisser tomber pour ce jour-là.

— Il ne s'agit pas de recréer toute la scène. Seulement quelques centaines de soldats anglais qui sautent de leurs barques, pataugent dans l'eau et se replient en laissant quelques blessés. Si c'est impossible, on pourra toujours éliminer cette séquence, elle n'est pas absolument nécessaire. Mais j'aimerais bien garder cette technique de séquences en rétrospective. Pour Montcalm aussi, dont on montrera les heures de gloire à Carillon. Il ne faut pas oublier que la bataille des plaines d'Abraham n'a duré qu'une dizaine de minutes. Si nous voulons un film dans lequel il y aura plus que dix minutes d'action, il faudra en trouver ailleurs.

— Très juste.

— Surtout que le débarquement de Montmorency nous permettrait de présenter les Français sous un jour positif. De montrer que Montcalm peut être bien organisé et intelligent. Et que les Anglais — Wolfe, surtout — peuvent être brouillons et inefficaces. Comme ça, on évitera les stéréotypes du genre Anglais disciplinés battant systématiquement les Français mal organisés. J'imagine un paysan égyptien qui voit le film au cinéma ou à la télé. J'aimerais qu'il ne devine pas d'avance qui va gagner.

— C'est une bonne idée. J'ai souvent tendance à oublier les paysans égyptiens.

Alice Knoll se leva, retourna s'asseoir dans le fauteuil profond placé devant la fenêtre à carreaux. De toute évidence, elle n'avait pas beaucoup envie de travailler. À moins qu'elle ne fût plongée dans une réflexion intense ? Peut-être pensait-elle à une de ses oeuvres en cours ? Comment savoir, avec elle ? Et comment lui reprocher de se passionner plus pour ses livres que pour ce film ? se demanda Noël Robert avant de reprendre la lecture de son plan.

— Ensuite, nous verrons les Anglais monter dans leurs navires pendant la nuit. Et il serait amusant d'entendre, en

185

voix hors champ, une voix française et une voix à l'accent anglais qui discutent de ce que les Anglais peuvent faire.

Noël Robert fit une pause, attendit qu'Alice Knoll lui demandât qui étaient ces deux voix.

— Ce sont Montcalm et Johnstone, son aide de camp écossais, continua-t-il lorsqu'il constata que la question ne venait pas. Il me semble y avoir un personnage intéressant dans cet Écossais se battant contre sa mère patrie. Je veux dire sa quasi-mère patrie, bien qu'une bonne part des troupes de Wolfe fussent écossaises.

Il attendit un commentaire qui ne vint pas, et poursuivit.

— Montcalm expliquerait l'enjeu du siège de Québec. Il terminerait en développant son opinion sur l'anse au Foulon, à l'effet que c'est trop à pic. On a la citation, quelque part. En tout cas, Montcalm et Johnstone parcourent le camp de Beauport au milieu des soldats. La séquence suivante, c'est chez Wolfe, dans sa tente, à Lévis. Il pointe du doigt, sur une carte représentant les environs de Québec, l'endroit où est Montcalm et dit que c'est là qu'il veut qu'il reste. Quelqu'un d'autre, dont on entend la voix sans le voir, lui répond qu'il faudrait beaucoup de chance pour que Montcalm ne soupçonne rien. Wolfe et l'autre voix discutent brièvement du pour et du contre de son plan. Et on finit par se rendre compte que Wolfe dialogue tout seul. Un côté de sa personnalité est méthodique, positif et précis, l'autre côté est sarcastique et cynique. Je crois qu'il y avait chez Wolfe deux personnalités très différentes — en tout cas, il est plausible qu'il les ait eues — et on peut les mettre en scène de cette manière sans le faire passer pour un fou. Il arrive à tout le monde de parler seul. Et je crois que cela donne au réalisateur une possibilité de mise en scène assez extraordinaire, en jouant même sur les deux profils de Wolfe se parlant seul. Qu'est-ce que vous en dites ?

Il se tourna vers le fauteuil où Alice Knoll était assise. Elle s'était renversée en arrière, visage tourné vers le plafond, yeux fermés, bouche ouverte. Il devinait plus qu'il ne la voyait sa main glissée sous sa robe. Elle mordait sa lèvre inférieure.

«Ce n'est pas possible», se dit-il d'abord.

Il fut aussitôt pris d'un violent désir, se tourna vers l'ordinateur. Il continua à faire à haute voix la description des séquences suivantes, comme si de rien n'était.

*L*a mère de Gaston McAndrew lui avait téléphoné pour lui dire qu'une lettre était arrivée des Productions Roch Marcoux. Il lui avait interdit de la lire et était rentré plus tôt que d'habitude. Sa mère lui tendit l'enveloppe, qu'il ouvrit sans prendre le temps d'enlever son béret.

Cher Gaston McAndrew — N° 0223

Les Productions Roch Marcoux ont le plaisir de vous annoncer que votre candidature comme figurant dans le tournage d'un film sur la bataille des plaines d'Abraham a été retenue. Vous devrez vous présenter le 12 septembre, avant une heure du matin, au Bassin Louise.

Des vestiaires ont été prévus pour vos vêtements et autres effets personnels.

Les premiers arrivés seront affectés aux régiments anglais et embarqueront, vers une heure et demie, sur un traversier qui les transportera à un quai que nous faisons ériger à l'ouest de Neuville.

Les figurants français, quant à eux, seront transportés du Bassin Louise à Neuville en autobus, à trois heures du matin.

Il est inutile de vous rendre directement à Neuville par vos propres moyens. Un imposant dispositif de sécurité a été mis sur pied pour ne laisser passer aucune personne non autorisée.

Dans le traversier ou dans l'autobus, on vous affectera à une compagnie, dirigée par un véritable officier des Forces armées canadiennes. Vous devrez suivre ses instructions à la lettre.

Du café et des beignes seront servis à tout le monde dans le traversier et dans les autobus. Il est interdit d'apporter des provisions — et tout figurant pris en possession de boissons alcooliques sera immédiatement renvoyé chez lui.

Si tout va bien, le tournage sera terminé avant la fin de la journée pour la plupart des figurants. Mais vous devriez rester libre pour la journée du lendemain, au cas où le mauvais temps ou d'autres impondérables nous forceraient à tourner une deuxième journée.

Votre chèque de 100$ vous sera remis à la fin de la première journée. Si le tournage se poursuit le lendemain, vous aurez droit à un supplément de 50$ par jour, qui vous sera envoyé par la poste dans les semaines suivantes.

C'est seulement sur place que nous prendrons la décision de suspendre ou non le tournage. Même si la météo annonce de la pluie, rendez-vous sans faute au Bassin Louise à l'heure prévue. Vous serez payé, quoi qu'il arrive. Si, pour une raison ou pour une autre, vous deviez annuler votre participation au tournage, veuillez nous en aviser dans les plus brefs délais en téléphonant au 1-800-967-9000. Un répondeur téléphonique vous demandera de donner votre nom et votre numéro de figurant (précisé ci-dessus).

Amicalement,
Roch Marcoux,
producteur.

Gaston McAndrew relut la lettre une deuxième fois, à haute voix, pour satisfaire la curiosité de sa mère.

— Ils te disent pas que tu vas faire un Anglais, dit celle-ci.

— Je le sais.

Le 16 août

Alice Knoll prit le petit déjeuner avec France et Noël Robert pour un troisième jour d'affilée. Comme souvent les mercredis, France partit pour Québec. Comme d'habitude, Alice Knoll et Noël Robert montèrent au bureau de celui-ci. Elle s'installa dans le fauteuil profond, face à la rivière, et il prit place sur une des deux chaises droites, devant l'ordinateur.

— Nous sommes le 16 août, dit-il.

— Vraiment ? dit-elle.

— Roch Marcoux a téléphoné hier soir.

— Ah bon ?

— Il veut le scénario de la bataille pour le 22, sinon il ne nous enverra pas le prochain chèque.

— Tu en as absolument besoin pour ne pas mourir de faim ?

— Pas vraiment, mais...

— Alors, qu'est-ce que ça peut faire ?

— N'empêche qu'on pourrait faire un petit effort. On y est presque.

— Pourquoi ? Il l'a, le scénario de la bataille. Alexandre Anastase lui a expliqué comment tout ça s'est passé.

— Oui, mais il faut les dialogues.

— Tu crois que Roch Marcoux n'a pas demandé à Alexandre Anastase de lui envoyer tout ce qui a pu se dire pendant la bataille ?

— Je suppose que oui.

— Alors, qu'est-ce que ça peut faire ? Si nous ne lui envoyons pas de scénario, il tournera son film quand même, avec le scénario de la télévision.

— Il m'a dit que le scénario de la télévision ne comportait rien sur la bataille elle-même.

— Tu le crois ?

— Pourquoi pas ?

— Je parie que ses petits amis de la télévision ont déjà pondu douze versions du scénario de la bataille. Il n'a que l'embarras du choix.

— Pourtant, il insiste beaucoup pour qu'on lui envoie notre scénario.

— Parce qu'il préférerait avoir nos noms dans son générique. Mais s'il ne paie pas ses chèques, il ne les aura pas. Et Cinéma Canada va lui dire qu'il ne respecte pas les normes sur le contenu canadien. Et il aura mon avocate sur le dos. Il va donc préférer se passer de notre scénario, utiliser nos noms et nous envoyer nos chèques. Ce qui ne veut pas dire qu'il n'aimerait pas avoir notre scénario pour le comparer à ceux qu'il a déjà.

Noël Robert se détourna de l'écran de son ordinateur et examina Alice Knoll — ou du moins le peu qu'il pouvait voir d'elle, affalée dans le fauteuil, face à la rivière. Il voyait sa main droite dessiner des cercles dans la poussière qui brillait dans les rayons de soleil. Il voyait le haut de sa tête, chevelure noire désordonnée, qui débordait le dossier. Il voyait ses pieds déchaussés, sous le fauteuil.

— Si je comprends bien, vous n'avez pas du tout l'intention de lui envoyer un scénario.

— Pas la moindre.

— Et vous n'en avez jamais eu l'intention ?

— Jamais. Cela devait se voir, non ? Il n'y a pas de sujet moins intéressant que la bataille des plaines d'Abraham. Les Français font bang, les Anglais font bang-bang, et c'est fini. Il y a eu des millions de batailles comme celle-là. Un côté gagne, un côté perd. Point final. Cela ne nous apprend rien sur la nature humaine ou sur l'avenir de l'univers. Ça meuble deux heures au cinéma, dix heures à la télévision. Et tout le monde a bonne conscience, parce que ça ressemble à un sujet sérieux.

— Mais alors, pourquoi est-ce que nous travaillons comme des fous depuis plus d'un an ?

— Nous ? Je n'ai pas écrit une ligne.

— Je repose ma question : pourquoi nous voyons-nous depuis plus d'un an dans le but apparent d'écrire un scénario ?

La main d'Alice Knoll cessa de faire des ronds dans la poussière et les rayons de soleil. Elle resta en suspens une bonne minute, pointée vers le plafond.

— C'est parce que j'aime être avec toi. Et je sais que si nous n'avions pas ce scénario à écrire ensemble, tu ne voudrais jamais être avec moi.

Le coeur de Noël Robert se mit à battre à une vitesse folle. Se moquait-elle de lui ?

— Vous moquez-vous de moi ?

La main se remit à faire des volutes dans les rayons de soleil.

— Est-ce que j'ai l'air de me moquer ?

Avait-elle l'air de se moquer ? Peut-être que non.

— Je ne sais pas.

— Je te veux, dit-elle en immobilisant encore sa main.

Il essaya de rire, mais sa gorge était trop sèche. Il préféra s'enfuir. Il se leva et descendit les marches quatre à quatre.

Quelques minutes plus tard, Alice Knoll descendit à son tour. Il resta assis à la table de la cuisine, où il s'efforçait de faire semblant de lire le journal.

Elle ouvrit la porte. Juste comme elle sortait, il leva les yeux et elle fit mine de lui souffler un baiser dans la paume de sa main, en souriant. Mais il y avait dans son regard quelque chose qui ne semblait pas sourire du tout.

***

Longtemps il hésita avant de composer le numéro de la maison des Chagnon. Lorsqu'il s'y résolut, la ligne était occupée.

Quelques instants plus tard, le téléphone sonna. Ce n'était pas elle, mais plutôt Roch Marcoux.

— Écoute, laisse tomber, on va se débrouiller avec ce qu'on a déjà.

— Quoi ?

— Alice Knoll m'a téléphoné. Elle est vraiment désolée. Elle m'a dit que c'était sa faute.

— Comment, sa faute ?

— Si le scénario avance pas.

— Mais ce n'est pas du tout sa faute.

— C'est pourtant ce que tu me disais.

— Ce n'est pas tout à fait ça que je voulais dire. Je...

— De toute façon, elle retourne à Toronto. Elle a même offert de me rembourser mon premier chèque.

— Et puis ?

— J'ai refusé. J'ai seulement une parole. Y a juste une chose, par contre. Il faut qu'elle accepte d'avoir son nom au générique.

— Elle accepte ?

— Oui. Toi aussi, j'espère, parce que Cinéma Canada y tient : il faut que les scénaristes soient canadiens. Puis comme on va tourner avec un scénario qui est fait à Hollywood, j'ai absolument besoin de vos noms.

— Hollywood ?

— Y a six mois, quand j'ai vu que vous avanciez pas, je me suis couvert les fesses. Qu'est-ce que tu aurais fait, à ma place ?

— Vous allez me le montrer ?

— Comme de raison. Mais si tu refuses d'avoir ton nom au générique, je t'envoie pas ton deuxième chèque.

— C'est ce que j'avais cru comprendre.

— C'est oui ?

— J'attends de voir le scénario.

— Je vais t'envoyer la prochaine version.

— Merci.

Il raccrocha. Ainsi, Alice Knoll rentrait à Toronto. Par sa faute à lui. S'il lui avait téléphoné plus tôt, peut-être serait-elle restée.

Il sortit, marcha rapidement jusqu'à la maison des Chagnon. Alice Knoll descendait les marches du balcon, une valise dans chaque main. Il s'arrêta près de l'arrière de sa voiture.

— Vous partez ?

— Tu as parlé à Roch Marcoux ?

— Oui. J'espère que ce n'est pas à cause de moi ?

— Pourquoi ce serait à cause de toi ?

Il sentit son début de passion fondre devant le regard indifférent et blasé qu'elle lui adressait maintenant.

— Pour rien. Je ne sais pas.

— C'est dommage, soupira-t-elle.

— Quoi ? demanda-t-il, le coeur battant.

— Que nous n'ayons pas été capables de travailler ensemble.

— Ce n'est pas bien grave. On se reverra sans doute.

— Sait-on jamais ?

Elle déposa une valise derrière la voiture, à côté de lui, ouvrit le coffre. Elle resta un long moment à le regarder d'un regard froid, sans lâcher l'autre valise. Noël Robert hésitait. Lui ferait-elle un signe ? Était-ce à lui de faire un pas vers elle ?

Ni l'un ni l'autre ne bougea.

— Au revoir, murmura-t-il.

— Bonne chance.

***

France Robert rentra tard, ce soir-là. Mais Noël n'était pas encore couché.

— Le scénario est à l'eau.

France ne parut pas surprise lorsqu'il lui expliqua qu'il ne faisait plus le scénario, mais s'étonna qu'il pût être payé quand même à la seule condition d'avoir son nom au générique. Noël lui en voulut un peu de ne pas sembler comprendre que c'était ce qui l'humiliait le plus.

Le 23 août

Gaston McAndrew entra bruyamment dans le vestibule. Il portait un gros sac et heurta le cadre de la porte vitrée. Sa mère s'approcha en titubant. Elle avait bu plus que de coutume.

— Qu'est-ce que tu as là ?

— Du tissu.

— Pour quoi faire ?

— Un uniforme.

— Ils te fournissent plus tes uniformes ?

— Non. Un uniforme pour la bataille des plaines d'Abraham.

Elle le suivit dans sa chambre. Sur sa table, il écarta le morceau de bois en forme de mousquet et déposa à sa place le paquet, qu'il entreprit de déballer. Il y avait du tissu rouge, du tissu bleu, un rouleau de galon jaune.

— La lettre disait pas que tu devais apporter ton uniforme.

— Écoute, maman, dit Gaston McAndrew en laissant percer un certain agacement, si j'ai pas d'uniforme, ils peuvent m'envoyer avec les Français. Tandis que si j'ai mon uniforme, je vais être sûr d'être un Anglais.

— Mais qui va te le coudre ?

— Moi.

— Tu sais coudre ?

— Je vais me débrouiller.

— As-tu un patron ?

— J'ai ça.

Il lui montra une image du livre *Wolfe's Army*. Sa mère examina longuement l'image d'un soldat anglais en uniforme rouge avec pantalon bleu.

195

— Ça sera pas facile, mais si tu veux, je peux essayer de t'aider.

— Merci, maman. On commencera demain.

Il aurait eu envie de commencer tout de suite. Mais elle avait trop bu.

*E*n guise de patron, Gaston McAndrew avait défait un de ses vieux costumes. Et il avait travaillé à l'uniforme toute la journée du samedi et du dimanche et une bonne partie des deux soirées. Sa mère y avait mis presque autant de temps que lui.

Il l'endossa enfin et s'examina dans le grand miroir de sa mère. L'épaule gauche était un peu plus haute que la droite, mais ni lui ni sa mère ne parurent le remarquer. Ils en avaient assez de coudre.

— Qu'est-ce que tu en dis ?

— Tu as l'air d'un vrai soldat anglais.

Il lui tournait le dos. Elle se pressa contre lui. Il se retourna vers elle pour se défaire de son étreinte.

*P*our la première fois depuis longtemps, Noël Robert avait pris une bière avant midi. En fait, il en avait pris quatre depuis dix heures. France était en ville. Il n'avait plus de scénario à écrire, et aucune raison de ne pas faire ce qu'il voulait.

À part quelques verres de vin et quelques bouteilles de bière isolées, c'était la première fois depuis plus d'un an qu'il se sentait un peu gris. C'était à la fois agréable et honteux. Il allait prendre une cinquième bouteille au réfrigérateur lorsque la sonnerie de la porte d'entrée retentit. Il la laissa sur le comptoir, alla ouvrir.

C'était un coursier, qui lui tendit une enveloppe des Productions Roch Marcoux.

Noël Robert offrit une bière au coursier, qui accepta. Ils burent ensemble dans la cuisine, sans échanger plus de dix mots. Le coursier dut sentir que son interlocuteur avait maintenant hâte qu'il parte. Il vida sa bière d'un trait et sortit.

***

Il lut le scénario d'une traite, étendu sur son lit, en buvant ses sixième, septième et huitième bouteilles de bière.

Il dut reconnaître que c'était du travail professionnel. La présentation physique était impeccable — impression laser, couverture plastique, marge centrale plus large pour faciliter la lecture, noms des personnages en majuscules et en caractères gras.

Cela ressemblait plus à un livre qu'à un document de travail. Mais le contenu, oeuvre de deux vieux routiers de la scénarisation hollywoodienne, était également professionnel. Tous les éléments importants de la bataille y figuraient, et on devinait que ses auteurs avaient reçu une traduction des notes d'Alexandre Anastase.

On avait un peu chargé le portrait de Vaudreuil, mais les personnages de Montcalm et de Wolfe étaient humains et plausibles, ni trop héroïques ni trop parfaits. Wolfe avait un rôle presque muet. Les scénaristes avaient sans doute voulu l'entourer de mystère. Ils faisaient remarquer, dans leurs notes à Roch Marcoux, que Wolfe devait toujours paraître plus grand que les autres. Montcalm, lui, était un compromis entre le général en dentelle et l'homme inquiet, se sentant traqué par les Anglais et fort embêté de travailler sous les ordres d'un gouverneur civil totalement ignorant des questions militaires.

Curieusement, la toute première séquence — Montcalm salué par ses soldats puis par une salve de canon que Wolfe commande pour «le Vieux Renard» — était telle que l'avait déjà imaginée Noël Robert. Mais il l'avait supprimée quelques semaines plus tôt, parce qu'elle lui semblait naïve et déjà vue. Alice Knoll l'avait laissé faire, comme chaque fois qu'il voulait couper quelque chose.

Les scénaristes avaient retenu comme personnage la marquise de Beaubassin — qu'ils écrivaient Beaubasin avec la constance inébranlable des glossaires de traitement de texte. C'était la maîtresse de Montcalm, et c'était à elle que celui-ci expliquait ses rages et ses inquiétudes. Les auteurs du scénario expliquaient au producteur qu'un rôle féminin était absolument essentiel. Ils reconnaissaient que Montcalm semblait être un mari fidèle, mais soutenaient que, sa femme étant en France, il n'était pas impensable qu'un «Frenchman» eût avec une amie canadienne des rapports peu platoniques.

On la voyait pourtant rarement. Dans une des premières séquences du scénario, Montcalm allait se mettre au lit avec elle, à la tombée de la nuit, lorsque des coups de canon le forçaient à la quitter. Il la retrouvait un peu plus tard. Mais on revenait le chercher aussitôt après parce que la flotte anglaise manoeuvrait devant Québec. Au petit jour, alors qu'il se déshabillait en présence de madame de Beaubassin, son aide de camp lui annonçait encore que les Anglais avaient débarqué à l'anse au Foulon. Montcalm enrageait contre les Anglais, qui ne le laissaient pas faire l'amour. À la fin du film, c'est un Montcalm mourant qu'on abandonnait enfin dans le lit de la marquise.

Peu de clichés, sembla-t-il à Noël Robert, qui se dit aussitôt qu'il pouvait bien y en avoir sans qu'il les eût remarqués. Pas de petit joueur de tambour qui meurt à douze ans. Par contre, l'inévitable *ranger* américain audacieux et à la repartie facile, espèce de Rambo tout juste moins con que l'original.

La bataille proprement dite était une belle bataille bien propre, racontée en quarante pages. Rien de bien original, sauf peut-être la représentation de Wolfe, au sommet d'un monticule, tel un chef d'orchestre à son pupitre, dirigeant ses régiments comme on dirige des sections d'instruments. Et trois miliciens canadiens, joyeux drilles, sortes de Trois Mousquetaires qui s'amusent à prendre Wolfe comme cible et qui l'atteignent à tour de rôle.

En lisant le scénario, Noël Robert imaginait les principaux personnages sous les traits des acteurs dont il avait été question. Borhinger en Montcalm, Sutherland en Wolfe, Millaire en Vaudreuil. Il voyait même Marilyn en marquise de Beaubassin. Il se demanda qui Roch Marcoux retiendrait pour le rôle des trois miliciens. Peut-être les interprètes de *Broue* ? À moins de les réduire à deux seulement et de prendre Ding et Dong ? «Kins, toé», crierait Ding ou Dong en tirant sur Wolfe la balle qui l'achèverait.

Excellente idée, qui méritait un coup de fil à Roch Marcoux.

Noël Robert se leva, oubliant qu'il y avait un téléphone près du lit, et se dirigea vers la cuisine. Mais il vit les bouteilles qui encombraient le comptoir. Il en prit une autre dans le réfrigérateur et oublia de téléphoner.

***

France Robert arriva à dix heures. Son mari n'était pas là. Comme elle se déshabillait dans la grande chambre, elle l'aperçut, par la fenêtre, étendu dans l'herbe, près du garage.

Elle se rhabilla et alla se pencher sur lui.

— Ding Dong, balbutia-t-il.

Il empestait la bière et se prenait pour une cloche, mais ne semblait pas malade. Elle décida de le laisser là, dans l'espoir qu'une bonne pluie le dessoûlerait.

Il ne plut pas, cette nuit-là.

Le 11 septembre

Gaston McAndrew compta encore une fois les pièces du FN. Pas d'erreur possible : il en manquait une.

Il vida la garde-robe de tout ce qui s'y trouvait. Rien. Il enleva le matelas, le mit par terre, fouilla dans le sommier, déplaça le lit. Toujours rien.

Il renversa sur le lit chaque petit tiroir du casier de plastique, examina un à un chaque boulon, chaque écrou, chaque vis, pour s'assurer qu'ils n'avaient rien à voir avec l'arme. Il se reprocha de ne pas avoir dressé une liste des pièces, avec description de chacune.

Il eut soudain une inspiration, se leva, alla montrer le casier à tiroirs à sa mère étendue devant le téléviseur, dans le salon.

— Maman, as-tu pris quelque chose là-dedans ?

— Non. Qu'est-ce que tu voudrais que je fasse avec ça ? Tu sais bien que je touche jamais à tes affaires.

Il retourna dans sa chambre, compta une fois de plus les pièces, revint au salon.

— Tu es sûre, maman, que tu as rien pris ?

— Non. À part quelque chose pour remettre la machine à laver d'aplomb.

— Quelque chose ?

— Un petit morceau de métal.

Gaston McAndrew se précipita à la salle de bains, regarda sous la machine à laver. Il y avait en effet un petit morceau de métal.

— C'est parce que la machine à laver était de travers, expliqua sa mère qui arrivait derrière lui.

— Je vais te trouver autre chose. Mais ça, j'en ai besoin.

**

— Maman, as-tu des allumettes de bois ?
— Oui, je dois avoir ça. Pourquoi ?
— Parce que ça m'en prend une.
— Neuve ou qui a déjà servi ?
— Si elle est pas abîmée, ça me fait rien.

Elle se leva, se traîna les pieds jusqu'à la cuisine. Elle gardait une boîte d'allumettes dans une armoire, juste à côté des bougies qu'elle réservait aux pannes d'électricité. Sous la boîte, il y avait trois allumettes qui avaient déjà été craquées mais qui pouvaient encore servir à transporter une flamme d'une bougie à une autre. Elle choisit la plus belle et vint la remettre à son fils, dans sa chambre.

— Tiens, c'est la meilleure que j'ai. Tu t'es pas remis à fumer, au moins ?
— Non. De toute façon, comment tu voudrais que je fume avec une allumette brûlée ?

Elle sembla réfléchir pendant quelques secondes, regarda d'un air désapprobateur l'arme posée sur la table de travail de son fils, haussa les épaules et retourna s'asseoir devant la télévision.

**

Gaston McAndrew prit l'allumette, en coupa la moitié avec son canif et glissa le morceau de bois sous le percuteur. Puis il appuya sur la gâchette. Le percuteur claqua sans arrêt tant qu'il maintint la pression.

Il entreprit ensuite de remonter le FN et de le placer dans le faux mousquet. Il s'occupa ainsi jusqu'à l'heure du souper.

— C'est un beau fusil, lui dit sa mère lorsqu'elle vint le chercher pour la soupe.
— C'est pas un fusil, c'est un mousquet.
— Ah bon, dit-elle sans trop y voir de différence.

Le 13 septembre

À onze heures, Gaston McAndrew demanda à sa mère de l'aider à endosser son uniforme rouge. Il avait surtout peur de le déchirer, car il n'avait guère confiance en leurs talents de couturiers. Mais le tissu tint bon et les coutures aussi.

Il sortit dans la rue. La nuit était noire. L'air était frais et piquant. Il tint d'abord son fusil à bout de bras, horizontalement. Puis il se dit qu'il serait plus simple de le porter sur l'épaule, crosse au creux de la main, comme un vrai soldat, oubliant qu'il n'y en avait pas de plus vrai que lui, puisqu'il était un soldat déguisé en soldat.

Il fit quelques pas ainsi, et cette façon de tenir son fusil le poussa à adopter une allure martiale, comme à l'exercice. Mais le bruit de ses talons lui rappela qu'il devait attirer encore plus l'attention.

Il reprit donc son fusil au bout de son bras droit, tenta d'adopter une allure nonchalante. Arrivé au coin de la Grande-Allée, il releva sa manche pour jeter un coup d'oeil à sa montre. Minuit dix. Bientôt les autobus cesseraient de circuler, mais il en restait sûrement un ou deux. De toute façon, Gaston McAndrew avait de l'argent pour prendre un taxi si l'autobus n'arrivait pas bientôt.

Il n'attendit que cinq minutes.

— Où tu penses que tu t'en vas comme ça ? demanda le chauffeur en bloquant d'une main la boîte de perception.

— Je vais au film des plaines d'Abraham, expliqua gentiment Gaston McAndrew.

— T'as pas le droit de te promener avec un fusil sans étui, fit le chauffeur d'un ton catégorique.

— C'est pas un vrai fusil, il tire même pas. Regardez.

Il lui montra son faux Brown Bess en prenant soin de cacher le mécanisme sous sa main.

— Ouais, grogna le chauffeur.

— Écoutez, je suis dans l'armée, faites-moi pas niaiser, insista Gaston McAndrew. Voulez-vous voir ma carte d'identité ?

— Embarque, dit le chauffeur en lui faisant signe d'entrer sans payer.

Gaston McAndrew s'installa sur l'avant-dernière banquette. Il s'était demandé s'il rencontrerait d'autres soldats dans l'autobus. Des couples d'adolescents, serrés l'un contre l'autre, étaient les seuls passagers.

Lorsqu'il changea d'autobus, le nouveau chauffeur ne lui fit aucune difficulté. Deux hommes, à l'arrière de l'autobus, étaient probablement aussi des figurants. Ils étaient de petite taille, comme le demandait l'annonce.

Quelques arrêts plus loin, d'autres hommes montèrent. L'un d'eux vint prendre place à côté de Gaston McAndrew, même s'il y avait plusieurs banquettes libres. Il était de petite taille, lui aussi.

— Ouais, t'as un beau fusil, dit-il en sifflant d'admiration.

— Oui, mais il tire pas, regarde, répondit aussitôt Gaston McAndrew en lui montrant son mousquet et en gardant toujours une main sur le mécanisme.

Il y eut un bref silence, qui sembla embarrasser les deux hommes.

— Cent piastres pour la nuit, ça va faire mon affaire, soupira le nouvel arrivé.

— Moi aussi, mentit Gaston McAndrew, que la prime des figurants laissait parfaitement indifférent.

— Si je peux pas être un Anglais, ça me dérange pas d'être un Français, continua l'autre. Même, je pense que j'aimerais mieux ça.

Ils arrivèrent bientôt au Bassin Louise, où était ancré le traversier. Le quai était illuminé. Déjà beaucoup de jeunes gens en uniforme rouge s'apprêtaient à embarquer.

Gaston McAndrew reconnut de loin quelques-uns de ses supérieurs. Il les enviait d'avoir les plus beaux rôles, même s'il trouvait normal qu'on eût choisi des officiers pour les rôles d'officiers.

Il se joignit, avec son nouveau compagnon, à la file des hommes qui attendaient pour prendre leur uniforme et leur mousquet. Quelques minutes plus tard, deux autobus de l'armée canadienne s'arrêtèrent près du quai. Une centaine de soldats en uniforme écossais descendirent. Leurs officiers les placèrent en rangs. Sur un ordre lancé en anglais, ils se mirent à marcher au son des cornemuses. Le nouveau compagnon de Gaston McAndrew se boucha les oreilles.

— Ça me fait grincer des dents, cria-t-il.

Les soldats en kilt s'approchèrent du traversier, firent du sur-place pendant quelques instants. Les cornemuses se turent et la troupe s'immobilisa au garde-à-vous, puis au repos.

Pendant ce temps, la file avait avancé. Le tour de Gaston McAndrew arriva.

— Gaston McAndrew, Royal 22e, dit-il à la jeune femme derrière son comptoir.

Elle consulta sa liste.

— Oui, je t'ai. C'est correct. Tu as un uniforme ?

— Ça se voit pas ?

Le jeune femme garda son masque d'indifférence, lui tendit un bout de papier.

— Remets ça au kiosque suivant.

— C'est pour quoi faire ?

— C'est pour le mousquet.

— J'en ai un.

— Pas supposé. On va t'en donner un.

— Le mien est plus beau.

— Écoute, il faut que tous les Anglais aient des mousquets pareils, pas n'importe quel vieux fusil.

— Mais c'est une vraie réplique de Brown Bess, protesta encore Gaston McAndrew en s'énervant.

— Moi, j'y connais rien. On m'a dit que s'il arrive des gens en uniforme, c'est correct s'ils ressemblent aux images que j'ai. Mais les mousquets, ça, on les fournit, nous autres. Si tu y tiens, tu peux parler au régisseur.

— Où est-ce qu'il est ?

— Il devrait être là dans deux minutes. Écarte-toi pour laisser passer les autres.

Gaston McAndrew fit quelques pas de côté. Un peu plus tard, son nouveau compagnon vint le rejoindre.

— Ils vont avoir assez d'Anglais, expliqua-t-il. Ça fait que je vas aller avec les Français. C'est à trois heures, puis on part en autobus, nous autres.

— Moi, je vais avec les Anglais. Mais il faut que je voie le régisseur à cause de mon mousquet.

Ils attendirent ensemble plus d'une demi-heure. Le compagnon de Gaston McAndrew s'appelait Jeannot Tougas et lui raconta son histoire banale de décrocheur devenu chômeur puis assisté social. Gaston McAndrew ne dit rien de lui-même, écoutant à peine l'histoire de Jeannot Tougas. Il interrompit deux fois son compagnon pour aller demander à la jeune fille quand le régisseur serait là. Elle lui fit remarquer que, de toute façon, il se pouvait bien qu'on manque de mousquets et qu'on soit obligé de prendre le sien.

— Comme ça, je peux y aller ?

— Non. Il faut que le régisseur voie ton mousquet.

— Laisse faire, lui répétait Jeannot Tougas. On va être bien mieux avec les Français.

Sur le quai, les soldats en uniforme avaient pris place derrière une clôture de fil de fer. Gaston McAndrew tenta de se faufiler pour les rejoindre mais un gros homme en civil l'empêcha de passer la barrière.

L'embarquement commença. Affolé, Gaston McAndrew retourna voir la jeune femme, qui lui dit que le régisseur arrivait et qu'il n'y avait pas à s'inquiéter.

— De toute façon, si tu es en retard, tu peux toujours aller avec les Français, en autobus.

— C'est avec les Anglais que je veux être. Regardez, j'ai un uniforme anglais. Puis ça, c'est un Brown Bess comme les Anglais en avaient.

— On a des uniformes français en masse.

Gaston McAndrew retourna s'asseoir à côté de Jeannot Tougas, qui venait d'endosser son uniforme français à tunique blanche et veste bleue.

— C'est le régiment de Russion, paraît.

Le régisseur arriva enfin, alors que toute la troupe ou presque était montée sur le traversier.

— Qu'est-ce qui se passe ? demanda-t-il à Gaston McAndrew.

— C'est elle qui dit que je peux pas prendre mon mousquet. Pourtant, c'est une vraie réplique de Brown Bess.

— Ouais. Du beau travail. Il marche comme il faut ?

— Oui, regardez, fit Gaston McAndrew en gardant toujours une main sur le mécanisme.

— Bon, dans ce cas-là, tout ce qu'il te faut, c'est un cornet de poudre.

— J'en ai un, dit Gaston McAndrew en montrant le sien.

— Non, tu vas me donner celui-là puis prendre le nôtre. Les nôtres ont une poudre spéciale. Faut quand même que ton mousquet fasse de la fumée de la même couleur que les autres, non ?

— Oui, bredouilla Gaston McAndrew.

— Va vite au comptoir, là-bas. Ils vont t'en donner un.

Gaston McAndrew lança son cornet de poudre dans une poubelle et se précipita au guichet qu'il lui désignait. Il n'y avait personne. Il frappa à grands coups de poing sur le comptoir, puis sur la vitre. Quelqu'un vint enfin.

— Vite, ma poudre.

— Je sais pas s'il m'en reste, dit un jeune homme en bâillant.

— Vous faites mieux d'en avoir, menaça Gaston McAndrew.

— Pas si vite, pas si vite, y a pas le feu, fit le jeune homme en lui tendant un cornet de poudre.

Gaston McAndrew se retourna aussitôt pour apercevoir le traversier lever ses amarres et s'éloigner du quai. Il courut au régisseur, resté sur le quai.

— Le bateau est parti !

— C'est pas grave, dit le régisseur, t'as qu'à faire un Français.

— Mais j'ai un Brown Bess.

— Personne va voir la différence. Garde-le, ton Brown Bess.

Gaston McAndrew sentait les larmes lui monter aux yeux.

— De toute façon, c'est les mêmes cornets de poudre, ajouta encore le régisseur.

— Puis les Français, on a des bien plus beaux uniformes, renchérit Jeannot Tougas, qui s'était approché.

— Dans une heure, les autobus vont être ici. Mais tu peux avoir ton uniforme tout de suite, si tu veux, continua le régisseur.

— Qu'est-ce que je fais du mien ?

— T'as qu'à le mettre dans le sac pour tes affaires personnelles, comme tout le monde.

— Correct, d'abord.

— Youpi ! s'exclama Jeannot Tougas.

***

Dans l'autobus, Jeannot Tougas s'efforça de consoler son nouvel ami, même s'il ne comprenait pas du tout pourquoi se trouver du côté des Français pouvait tant lui déplaire.

— Au moins, j'aurai pas à tirer sur toi, finit par admettre Gaston McAndrew.

Les autobus, après avoir roulé longtemps dans la nuit, s'arrêtaient enfin. À l'horizon, vers le bas du fleuve, le ciel commençait à pâlir.

Le responsable du Royal Roussillon était le lieutenant Bolduc, un officier que Gaston McAndrew connaissait un peu mais n'aimait pas beaucoup. Il fut le premier à entraîner sa troupe derrière lui sur une passerelle qui enjambait le fossé. Ils traversèrent ensuite un petit bois, puis débouchèrent sur un champ éclairé par de hauts projecteurs. Gaston McAndrew cligna des yeux, tant la lumière était forte et crue.

— Venez par ici, fit un régisseur en maillot jaune.

Il les conduisit jusqu'au bout du vaste champ qui s'étendait devant eux.

— Allez de ce côté-là. Restez là tant qu'on vous dira pas de changer de place. Vous pouvez aller aux toilettes, qui sont cachées dans le bois, par là. Mais si vous y allez, rappelez-vous l'endroit où vous devez retourner.

Ni Gaston McAndrew ni Jeannot Tougas n'avaient envie d'aller aux toilettes. Ils suivirent les autres soldats en uniforme blanc. L'officier qui les précédait ne savait pas trop où ils devaient aller. Il s'adressa à un autre régisseur en maillot jaune, qui consulta un plan et les envoya de l'autre côté du champ, près du fleuve. Ils s'arrêtèrent à l'extrême limite de l'aire illuminée.

— J'aime pas ça, les grosses lumières, grimaça Jeannot Tougas en s'asseyant un peu plus loin que les autres, à l'ombre.

Gaston McAndrew s'assit à côté de lui. Effectivement, on était beaucoup mieux dans la pénombre.

Ils attendirent là longtemps, assis dans l'herbe, pendant une ou deux heures, peut-être, tandis que d'autres régiments en blanc arrivaient. On les fit ensuite avancer un peu plus sur leur droite pour faire place à des figurants en costumes de miliciens accompagnés de quelques Amérindiens vrais ou faux, coiffés de plumes, qui prirent place à leur gauche, à la limite de l'ombre et de la lumière.

— J'aime pas ça, les grosses lumières, gémit encore Jeannot Tougas en tournant le dos aux projecteurs.

L'attente était longue, mais il régnait une atmosphère de fête. Quelques figurants avaient réussi à dissimuler sous leurs vêtements des boissons alcoolisées qu'ils s'échangeaient en riant. De temps en temps, on entendait, chez les soldats d'en face dont on distinguait à peine la masse noire, quelques cornemuses entonner un air triste.

Vers six heures du matin, lorsque le soleil commença à se lever devant eux, on fit tourner aux Anglais leur mise en place sur les plaines. De l'endroit où ils étaient, les figurants français ne voyaient pas grand-chose. Mais tous ceux qui étaient assis s'étaient levés, pour tenter de voir le cinéma se faire. Ils se taisaient, impressionnés par les caméras et toute la machine qu'ils découvraient.

***

Noël Robert ne dormit ni très bien ni très mal — autre occasion de frustration face à l'impossibilité de démêler ses propres sentiments. Il était parfaitement conscient que le tournage commençait cette nuit-là et il aurait dû se sentir soulagé d'être définitivement débarrassé d'Alice Knoll, de. Roch Marcoux et surtout de ce scénario qu'il avait été incapable d'écrire.

Au petit jour, France se leva, s'habilla et partit sans faire d'autre bruit que celui d'un baiser qu'elle lui laissa machinalement sur la joue.

Il se rendormit — à moitié, toujours. Il s'éveilla — encore à demi — lorsqu'une voiture s'arrêta devant l'entrée. Ce n'était pas la voiture de France. Il y eut des pas dans le gravier de l'allée. Ce n'étaient pas ceux de France.

S'assoupit-il encore quelques instants ? Peut-être. En tout cas, il n'entendit pas la porte de l'entrée s'ouvrir ni les pas dans l'escalier. Il n'eut connaissance que de la porte de la chambre qui grinçait faiblement.

— Qui est-ce ? demanda-t-il à voix basse comme s'il avait voulu éviter d'éveiller France couchée près de lui.

Il y eut un instant de silence.

— France, fit une voix qui n'était pas celle de France.

Quelqu'un, qui n'était pas France, se glissa dans son lit. Des mains qui n'étaient pas celles de France le caressèrent. Un corps qui n'était pas celui de France se lova contre le sien.

Plusieurs minutes plus tard, cette femme qui n'était pas France repartit sans avoir dit autre chose que ce «France» murmuré.

Et Noël Robert, seul dans son lit, se mit à grelotter, comme si une fièvre s'était emparée de lui.

***

Il resta au lit jusqu'à neuf heures, ce qu'il n'avait pas fait depuis longtemps. Il y serait resté plus longtemps encore si le téléphone n'avait sonné. C'était Roch Marcoux.

— Il faut absolument que tu descendes à Québec tout de suite.

— Pourquoi ? Votre scénario ne fait plus votre affaire ?

— C'est pas ça. Y a des gens qui commencent à dire que c'est pas vous autres qui l'avez écrit.

— Ah...

Qu'est-ce que ça pouvait bien faire ?

— Si les fonctionnaires se laissent convaincre que c'est le scénario américain qu'on est en train de tourner, je vais avoir des tas de problèmes avec Québec ou Ottawa ou les deux, à cause des quotas. Puis comme Alice Knoll et toi vous êtes pas là, ça alimente la rumeur.

— Vous n'avez qu'à faire venir Alice Knoll.

— J'arrive pas à la joindre.

— Ah...

Noël Robert était vexé. Roch Marcoux avait essayé de joindre Alice Knoll en premier.

— Écoute, saute dans ton auto et arrive au plus sacrant. Je te donne cinq mille dollars de plus.

— Cinq mille dollars juste pour aujourd'hui ?

— Juste pour être ici cet après-midi, précisa Roch Marcoux.

— Je n'ai pas de voiture.

— Loues-en une et envoie-moi la facture.

— Bon, j'y vais.

À peine eut-il raccroché qu'il regretta d'avoir accepté. Il sauta hors du lit.

Il prit un taxi jusqu'à l'agence de location de voitures la plus proche. Il choisit une Mustang décapotable, même s'il faisait trop froid pour baisser la capote. Mais il n'avait conduit que l'Audi de France depuis qu'il avait récupéré son permis de conduire. La perspective de conduire une Mustang l'amusait.

***

Le lieutenant avait donné un carton portant le numéro 1 à Gaston McAndrew. Celui-ci l'avait mis dans sa poche. Il devait être parmi les tués de la première salve. Jeannot Tougas, lui, n'avait pas reçu de carton.

— Si je finis plus tard, tu m'attendras, implora-t-il.

— Veux-tu mon carton ? offrit Gaston McAndrew.

— Qu'est-ce que ça peut faire ? Si tu veux pas mourir à la première salve, t'as rien qu'à rester debout. Personne va s'en apercevoir.

— Je le sais, dit Gaston McAndrew, qui n'avait pourtant pas encore songé qu'il lui était possible de désobéir à un ordre.

Le soleil était bien en vue maintenant. La journée s'annonçait chaude et humide. Mais on leur avait promis que, si tout allait bien, ce serait terminé vers midi pour presque tout le monde.

On demanda aux troupes françaises de reculer par delà le décor qui représentait la ville de Québec, pour faire leur entrée sur le champ de bataille. C'était la première fois que les figurants voyaient le décor de près. Des façades grossièrement barbouillées, deux fois plus petites que des maisons véritables.

Lorsque les troupes françaises se furent cachées derrière la maquette de la ville, on les fit ressortir, en colonnes. Guidées par leurs officiers, elles allèrent prendre place face aux Anglais, en colonnes au centre, et en trois rangs sur les flancs.

Une voix se fit alors entendre dans les haut-parleurs.

— Merci beaucoup, tout le monde. Je m'appelle Luc Augeay et je suis le réalisateur de ce film. Vous avez tous été très bien. On va maintenant commencer la bataille. Les officiers vous ont expliqué ce que vous devez faire. Quoi qu'il arrive, continuez comme prévu. S'il y a des petits problèmes, on arrangera ça au montage. Ce qui compte, c'est qu'on puisse tourner les mouvements d'ensemble. Donc, continuez toujours comme si de rien n'était. Si quelqu'un regarde du côté d'une caméra, sachez que j'ai fait placer un franc-tireur derrière chaque caméra, avec ordre de tirer sur ceux qui regarderont de leur côté. Et pas avec des balles blanches.

Un petit rire nerveux parcourut les rangs des deux armées. Quelques gouttes d'eau tombèrent.

— Moteurs !

Les Français poussèrent un grand cri de guerre et se mirent à avancer.

Gaston McAndrew tâta ses poches. Les chargeurs étaient toujours là, lourds et froids. Il aurait dû en prendre un, le glisser dans la fente de son faux mousquet. Mais tout à coup l'incertitude le gagnait. Comment savoir ce qui causait la sueur froide qu'il sentait sur son front et dans son dos ?

Un officier, derrière lui, cria :

— Feu à volonté !

Non sans un certain flottement, la première ligne des Français s'arrêta et tira vers les Anglais. En face, quelques soldats, surtout chez les Écossais, tombèrent — les uns en exagérant leur mouvement, d'autres fort discrètement.

La pluie fine qui se mit à battre le visage de Gaston McAndrew ajouta à son affolement. Autour de lui, des coups de mousquet détonaient avec force, des nuages de fumée s'échappaient des armes. Juste devant, des figurants de soldats réguliers trébuchaient sur des figurants de miliciens qui avaient reçu l'ordre de se coucher dans l'herbe pour faire semblant de recharger.

Au milieu de la foule des soldats et sous le ciel sombre, Gaston McAndrew ne voyait plus très bien où il allait. D'autant plus que la pluie se mit à tomber dru, en vagues blanches et sinueuses.

— Je tire ou je tire pas ? se dit-il d'une voix forte qu'il fut le seul à entendre.

— Coupez ! cria la voix dans les haut-parleurs.

Et cette voix sembla à Gaston McAndrew une intervention de Dieu.

***

Noël Robert arriva à Neuville à une heure et demie. La pluie tombait toujours, mais doucement, comme si elle se ménageait pour durer jusqu'à la fin des temps.

Il n'y avait plus personne, à part une dizaine de gardiens en ciré qui surveillaient, à l'abri de grandes tentes jaunes, les quelques camions de location abandonnés le long de la route et les projecteurs énormes entourant le champ piétiné et désert.

Il s'adressa au premier gardien qui s'approcha de lui lorsqu'il gara la Mustang entre deux camions.

— Monsieur Marcoux m'a dit de venir le rejoindre cet après-midi. Savez-vous où il est ?

— Tout le monde est rentré en ville à cause de la pluie. Paraît qu'il va pleuvoir tout l'après-midi. Ils recommencent demain matin.

— Est-ce qu'ils ont tourné beaucoup ?

— Avant la pluie, je pense qu'ils ont travaillé fort. Mais je pourrais pas dire. Je connais pas ça.

— Je peux aller jeter un coup d'oeil ?

— Je sais pas si...

— Je suis le scénariste.

— Ton nom ?

— Noël Robert.

— Je pense que monsieur Marcoux nous a donné une lettre pour toi.

Il alla voir un autre gardien et revint avec une enveloppe contenant un chèque de cinq mille dollars et une note en promettant encore autant s'il restait jusqu'au lendemain.

— Je peux aller voir ?

Le gardien haussa les épaules.

Noël Robert franchit le fossé par une des passerelles. La pluie tombait toujours, mais avec moins de constance. Le bas de son pantalon se mouilla abondamment dans l'herbe. Il remarqua deux larges bandes parallèles, à une centaine de mètres l'une de l'autre, où l'herbe était plus piétinée qu'ailleurs. Il marcha entre les deux, vers le fleuve.

Il aperçut loin à gauche les faux remparts de Québec. Il lui fallut quelques instants pour s'apercevoir qu'il s'agissait de miniatures, moins éloignées qu'il ne l'avait d'abord cru. Pour le reste, le terrain était tel qu'il l'avait imaginé.

Il continua à marcher entre les deux lignes d'herbe écrasée, en direction du fleuve. La falaise était garnie de buissons. Au pied de l'un d'entre eux, il y avait un soldat en justaucorps blanc et veste bleue, avec une perruque trempée nouée à la nuque sous un tricorne noir à bordure dorée. Il était assis par terre, un mousquet entre les genoux. Noël Robert s'approcha de lui. Il ne bougea pas.

— Bonjour.

L'autre ne répondit pas.

— Vous êtes arrivé en retard au tournage ?

— Non, j'étais là à temps.

— Comment ça s'est passé ?

— Mal.

— Il a plu tant que ça ?

— C'est pas ça.

— Non ?

Quelle autre catastrophe avait bien pu s'abattre sur la production ?

— J'ai pas le bon uniforme.

Noël Robert l'examina d'un peu plus près. Il fit mine de s'asseoir à côté de lui. Mais l'herbe était trop mouillée et il se redressa aussitôt.

— Il vous va très bien, pourtant.

Il avait dit cela pour dire quelque chose, n'importe quoi. Le sort du jeune homme ne l'intéressait aucunement.

— C'est parce que je voulais être un Anglais, dit le jeune homme.

— Pourquoi ?

Il ne répondit pas. Pas tout de suite. Il avait les deux mains étendues devant lui et faisait pivoter le canon du mousquet entre ses paumes.

— Parce que c'est les Anglais qui ont gagné, dit-il enfin.

— Et puis ?

— C'est humiliant de pas être anglais.

Noël Robert regarda son interlocuteur qui, lui, continuait à regarder droit devant lui. Pourquoi se parlaient-ils ? Un monde les séparait.

— C'est humiliant seulement si on se laisse faire, ajouta Noël Robert sans trop savoir pourquoi.

— Vous, les Anglais vous ont déjà humilié ?

— Je suppose, oui. Sans nécessairement faire exprès. Quoique...

— Qu'est-ce que vous avez fait ?

— Rien. Je me suis contenté de les haïr, en espérant qu'un jour j'aurais ma revanche.

— Vous l'avez eue ?

— Non. J'attends toujours ma chance.

Ils se turent tous les deux, conscients d'avoir trop parlé même s'ils ne s'étaient rien dit.

Après quelques instants, Noël Robert s'éloigna. Lorsqu'il fut au milieu du champ, Gaston McAndrew se leva à son tour et le suivit. Il marcha si rapidement qu'il arriva à la passerelle lorsqu'une Mustang rouge s'arrêta devant lui.

Noël Robert lui ouvrit la portière sans dire un mot. Gaston McAndrew monta sans rien dire. Ils roulèrent jusqu'à Québec, toujours en silence.

***

— Atchoum !

Au moment précis où il entendit l'éternuement, Alexandre Anastase se penchait pour ramasser son exemplaire du *Devoir* abandonné depuis des heures sur le pas de sa porte. Il crut deviner que l'éternuement venait du jeune soldat — comment s'appelait-il déjà ? Tiens, il n'avait jamais su son nom.

Il resta penché, attendit pour se relever que le soldat fût sur le point d'arriver sur son palier, de façon à éviter de lui laisser voir qu'il l'avait attendu.

— Bonjour, jeune homme. Tout va bien ? demanda-t-il en remarquant la mine déconfite du soldat et son uniforme détrempé qui témoignaient éloquemment que cela n'allait pas du tout.

— Ça va.

— Mais où est passé l'uniforme anglais que vous portiez hier soir ?

— C'est trop long à raconter.

— Entrez, je vous fais un café et vous me racontez ça.

Gaston McAndrew se laissa tirer à l'intérieur.

— Il pleut. C'est remis à demain. Mais j'y retourne pas.

— Allons donc. La pluie n'a jamais fait mourir personne.

— C'est pas ça. C'est parce qu'ils ont trop d'Anglais. J'ai été fait Français.

— La belle affaire ! Anglais ou Français, l'important c'est de participer à cette bataille historique. Il n'y a pas de honte à jouer le rôle du vaincu. C'est même souvent beaucoup plus glorieux, vous savez.

— C'est pas ça.

— C'est quoi, alors ?

— Rien, je me comprends.

La bouilloire siffla. Alexandre Anastase versa l'eau bouillante dans les deux tasses garnies de café soluble et vint s'asseoir à la table de son XXe siècle, devant le jeune homme qui éternua encore avant de plonger le nez dans sa tasse.

L'historien examina son air buté.

— C'est un beau mousquet que vous avez là, dit-il en tendant la main vers l'arme que Gaston McAndrew avait appuyée contre le mur, dans un coin de la cuisine.

— Touchez pas à ça ! s'écria le soldat avec un mélange de peur et de colère.

Que se passait-il dans la tête de ce garçon de toute évidence décidé — mais à quoi ? Alexandre Anastase eut l'impression de deviner quelque chose.

— Vous savez, dit-il, qu'il est souvent arrivé dans l'histoire qu'un seul homme change le destin d'un peuple, pour le meilleur ou pour le pire. Existerait-il encore une France s'il n'y avait pas eu Jeanne d'Arc ? Des millions de juifs auraient-ils péri dans la dernière guerre si ce n'avait été d'Adolf Hitler ? Il suffit parfois qu'un homme — ou une femme — se lève et agisse pour que l'humanité entière soit transformée. Tenez, imaginez qu'un homme de votre âge ait eu en... disons en 1925... l'occasion de voir Hitler tomber dans l'eau de la Sprée — c'est le fleuve qui traverse Berlin. Trois possibilités se seraient offertes à lui. La première : sauver Hitler de la noyade. La deuxième : le repousser plus loin dans l'eau pour s'assurer qu'il se noie tout à fait. La troisième : ne rien faire du tout. De ces trois possibilités, c'est la troisième qui est la plus franchement idiote. C'est tourner le dos à l'histoire. La première possibilité, sauver Hitler, c'est se donner éventuellement la chance de passer à l'histoire, même si on n'en sait rien pour l'instant. Le Führer dira de vous que vous lui avez sauvé la vie et le Troisième Reich vous sera éternellement reconnaissant, que cela vous plaise ou non. C'est toutefois la deuxième possibilité, repousser Hitler loin du rivage pour s'assurer qu'il se noiera, qui est la seule positive à nos yeux de 1989. Bien entendu, si vous êtes dans cette situation en 1925, vous n'avez aucun moyen de savoir l'effet qu'aura votre geste sur la suite du monde, puisque vous ne savez pas qu'Hitler deviendra un monstre. Il pourrait aussi bien devenir le sauveur de l'humanité. Donc, vous le voyez s'enfoncer dans l'eau en appelant au secours. L'important, c'est d'agir. Sauver Hitler ou le noyer, ces deux gestes sont historiques. Seul celui de ne rien faire est anti-historique. Car seule l'inaction n'a aucune place dans l'histoire.

— Oui ? murmura Gaston McAndrew, qui ne comprenait rien à ce que lui racontait l'historien.

— Aucun homme n'a le droit de fuir l'histoire, dit Alexandre Anastase sentencieusement.

Gaston McAndrew vida sa tasse de café, se leva, prit son mousquet et sortit sans dire un mot.

Alexandre Anastase resta seul, plongé dans une certaine perplexité. Mais un sourire flottait sur ses lèvres.

*Q*ui veut devenir anglais ? On manque d'Anglais.
— Deux autobus, expliqua un des régisseurs, s'étaient égarés. Ou avaient eu un accident. Tout ce qu'on savait, c'est qu'on tournait dans cinq minutes et qu'il fallait mieux répartir les figurants entre les deux armées.

Quelques mains seulement se levèrent, dont celle de Jeannot Tougas, qui était convaincu que son copain Gaston McAndrew voudrait lui aussi changer de camp.

Mais Gaston McAndrew ne broncha pas.

— Toi, toi, toi, toi, dit le régisseur en pointant au hasard parmi les soldats devant lui.

Son doigt avait peut-être désigné Gaston McAndrew. Mais ce n'était pas évident, et celui-ci fit semblant de n'avoir rien vu, tandis que Jeannot Tougas s'avançait.

— Allez derrière les arbres, là-bas, on va vous remettre un uniforme rouge et un bonnet noir. Mettez-les vite et allez vous placer dans la ligne en face, là où il manque du monde, vous voyez ?

Ils voyaient, et ils se mirent à marcher vers les arbres.

— Courez, on tourne dans deux minutes.

Les jeunes gens en uniforme blanc se mirent à courir. Quelques instants plus tard, ils revinrent en tunique rouge prendre place là où les troupes anglaises étaient le plus dégarnies.

Gaston McAndrew aperçut son nouvel ami Jeannot Tougas dans les rangs ennemis.

— You-hou, fit Jeannot Tougas en voyant qu'il le regardait.

— Laisse faire les you-hou, grogna un officier derrière lui.

Jeannot Tougas fit de grands gestes du bras pour inviter Gaston McAndrew à venir le rejoindre. Mais le même officier lui dit de se tenir tranquille s'il ne voulait pas avoir son pied au cul.

***

L'inspecteur Gerry Tousignant était ravi de pouvoir s'adonner à son occupation préférée. La veille, en remarquant que les planches des estrades étaient faites de bois tendre, il avait amèrement regretté de ne pas avoir apporté, pour passer le temps, une poignée de punaises à tête de plastique. Lorsqu'on avait annoncé que le tournage était remis au lendemain, il avait fait un saut au bureau et rempli une poche de sa veste de ses punaises préférées — les rouges.

Pour cette deuxième journée de tournage, il s'était assis en bâillant au milieu de personnes qu'il ne connaissait pas mais qu'on lui avait dit être des dignitaires de toutes sortes. Sans regarder les préparatifs du tournage, il penchait la tête au-dessus de ses genoux écartés. Il s'amusait à laisser tomber des punaises, une à une, en visant soigneusement d'un seul oeil ouvert, comme, supposait-il, un bombardier dans son avion.

Les punaises se fichaient presque toutes dans le bois de la planche entre ses pieds. Mais il arrivait de temps à autre que l'une d'elles, au lieu de tomber bien droite comme elle était censée le faire, se retournait partiellement ou entièrement pendant sa chute et frappait le bois non de sa pointe mais avec sa tête de plastique, pour rebondir tantôt vers l'arrière, sous l'estrade, tantôt vers l'avant.

Juste devant Gerry Tousignant, une place demeurait libre. Trois punaises y étaient tombées. Deux étaient couchées sur le côté, mais la troisième était tombée tête à l'envers, pointe vers le haut, et attendait que quelqu'un vînt s'asseoir là.

***

Le moteur de l'hélicoptère se mit à gronder. Puis l'appareil s'envola. Et le soleil revint, presque au même moment.

— Moteurs ! cria une voix dans les haut-parleurs.

L'inspecteur Gerry Tousignant trouvait bien inutile qu'on l'eût envoyé là, à faire semblant de protéger le lieutenant-gouverneur.

La voix, dans les haut-parleurs, demanda aux figurants français de se préparer à avancer, puis leur donna l'ordre de marcher au pas.

Gerry Tousignant leva les yeux vers les soldats qui avançaient, à droite. C'était beau, ces uniformes blancs, ces drapeaux qui flottaient au vent, et ces jeunes gens à perruque, qu'on aurait crus sortis tout droit de la vraie bataille des plaines d'Abraham.

Juste derrière le premier rang, il aperçut un visage qui lui était familier. Où avait-il déjà vu cette tête-là ? Pendant un bon moment, il chercha en vain, puis se dit que cela n'avait pas d'importance, et se remit à laisser tomber ses punaises rouges dans le bois entre ses pieds.

Tout à coup, la mémoire lui revint. Le magasinier de la citadelle ! Oui, c'était le magasinier de la citadelle, le jeune homme au visage d'enfant, qu'il était allé voir au sujet de quoi, donc ? Ah oui, de ce FN volé dont on n'avait plus jamais entendu parler.

Les premiers rangs passaient vis-à-vis des estrades maintenant, et Gerry Tousignant chercha le jeune homme des yeux. Ce n'était pas facile, tous ces jeunes gens en uniforme blanc se ressemblaient tant. Mais il finit par le revoir, de profil, pas très loin de l'extrémité de l'aile gauche française. C'était tout à fait lui, avec son visage d'enfant de chœur. Que faisait-il ? Il sortait quelque chose de sa poche. Un objet noir qui ressemblait à un livre, ou peut-être à un chargeur. Mais qu'est-ce qu'il pouvait bien faire d'un chargeur ? Il le glissait dans son mousquet. Pourtant, Gerry Tousignant n'avait jamais entendu parler de mousquets qui utilisaient des chargeurs.

C'est à ce moment-là que la lumière se fit. Le FN et les chargeurs volés : le soldat — comment s'appelait-il déjà ? — s'apprêtait à viser dans les rangs anglais avec une arme capable de tirer six cents coups à la minute.

Gerry Tousignant laissa tomber la dernière punaise qu'il tenait à la main, sans se préoccuper de suivre sa trajectoire, se lança en avant, mit un pied sur la première planche, qui était libre et où la punaise inversée se ficha dans son talon sans qu'il s'en rendît compte, et sauta athlétiquement par-dessus deux rangs de spectateurs, dont le lieutenant-gouverneur.

Un des régisseurs le vit qui courait vers les soldats, à une centaine de pas des estrades.

— Arrêtez-le, cria-t-il. Arrêtez-le !

Dès que Gerry Tousignant fut assez près des soldats pour risquer d'être dans le champ des caméras, un autre régisseur, qui avait ramassé un mousquet dont il n'arrivait pas à trouver le propriétaire, se mit à courir derrière lui et lui assena un coup de crosse dans les jambes, bien avant qu'il ait pu atteindre les premiers rangs des soldats.

La cheville cassée, Gerry Tousignant tomba en hurlant de douleur. Le régisseur lâcha son mousquet et vint rapidement le tirer par les épaules, loin du champ des caméras, pendant qu'il criait :

— Attention, y a un soldat qui a une carabine à répétition.

— Lequel ?

— Le soldat en blanc, avec un mousquet, là...

Le régisseur haussa les épaules. Il n'y avait là que des soldats en blanc avec des mousquets.

Gerry Tousignant haussa lui aussi les épaules lorsqu'il entendit, au milieu des bruits de la bataille, le claquement sec de la carabine automatique, aisément décelable pour une oreille avertie.

— J'espère qu'il n'a qu'un chargeur, dit-il au régisseur, qui ne l'écoutait pas.

Il y eut une brève pause, puis la carabine se remit à crépiter.

— Je gage qu'il a les poches pleines de chargeurs, dit encore Gerry Tousignant.

***

Miville Laliberté regardait par le viseur d'une caméra perchée sur un chariot. De la main droite, il faisait signe qu'on le pousse plus ou moins rapidement. De l'autre, il faisait la mise au point. Il avait suivi la première ligne des soldats français et s'était immobilisé en même temps qu'elle lors de la première salve de mousquets. Il était ensuite reparti lorsque les troupes avaient commencé à s'éparpiller, parce qu'elles devaient le faire selon le scénario et parce que progresser en une seule ligne bien droite était aussi difficile pour des figurants contemporains que pour une armée d'autrefois.

À gauche, il vit alors entrer les troupes anglaises dans le champ de sa caméra. Il eut une fois de plus la certitude d'avoir un plan bon à tirer. Pendant quelques instants, les Français ralentirent le pas, tandis que les Anglais, debout, gardaient leurs rangs. Quelques Anglais encore tombèrent, avec un réalisme saisissant. L'épaule de l'un d'eux sembla même éclater en une fontaine de sang. Personne n'avait dit à Miville Laliberté qu'on avait engagé des spécialistes pour les effets spéciaux. Il n'en avait été question que pour les plans rapprochés, qu'on tournerait l'après-midi et le lendemain. Il siffla d'admiration, ordonna de la main qu'on arrête là le chariot. Les habits rouges occupaient le tiers gauche de l'écran, les blancs le tiers droit. Et l'herbe verte le tiers du centre. «Si le labo ne nous baise pas, songea Miville Laliberté, on va avoir l'Oscar de la photo.» Parfaitement concentré sur son oculaire, il n'entendit pas l'ordre anglais de faire feu. Mais il en vit le résultat. Avec un ensemble impressionnant, les mousquets anglais tirèrent une splendide salve blanche. Miville Laliberté ne vit plus que de la fumée, jusqu'à ce que les Anglais fissent deux pas en avant. Il fit signe qu'on le pousse maintenant en sens inverse. Il sortit lui aussi entièrement de la fumée. Les figurants français auxquels on avait dit de se laisser tomber au sol avaient obéi. Ils étaient des centaines couchés dans l'herbe, tandis que les Anglais lançaient un deuxième nuage de fumée blanche. Et presque tous les Français qui restaient debout se mirent à courir vers la droite, tandis que les Anglais, toujours à gauche, baissaient leur mousquet pour y fixer une baïonnette.

Pourtant, quelques Anglais tombèrent encore, ensanglantés. Miville Laliberté fit un léger panoramique vers la droite, histoire de prendre un peu plus de Français dans son champ. Les Français étaient effectivement en déroute. Nouveau panoramique, vers la gauche cette fois. Trois, quatre, puis cinq

Anglais tombèrent encore. Un bruit nouveau attira enfin son attention. Cela venait de la droite. Panoramique en sens inverse. Sa main gauche joua avec la mise au point, chercha quelque chose, le trouva : un soldat français, à plat ventre dans l'herbe. Il ne faisait pas le mort ni même le blessé. Tandis que ses camarades étaient tombés en adoptant des attitudes théâtrales ou avaient reculé de quelques pas ou encore s'étaient carrément enfuis, lui restait étendu sur le sol, dans la position d'un soldat qui tire.

Aucun nuage de fumée ne sortait de son mousquet. Mais le son qui excitait les oreilles de Miville Laliberté semblait venir de cette direction-là. Il fit zoom sur le tireur. Le canon de son mousquet avait été enlevé et avait fait place à un mince canon noir. Chaque fois que l'index de l'homme appuyait sur la détente, Miville Laliberté entendait une série sèche et rapide de claquements de carabine.

Il élargit son champ pour voir l'ensemble de la scène. Les Anglais semblaient de plus en plus confus. Certains se penchaient sur les blessés, criaient, affolés. D'autres se retournaient, lâchaient leur mousquet et partaient à toutes jambes. Un premier figurant anglais se lança en direction du tireur couché, mais son élan fut arrêté en plein vol. Un deuxième, puis un autre encore firent de même, et tombèrent aussi. Alors, ce qu'il restait de la ligne anglaise sur deux rangs recula de deux pas, se retourna avec autant d'ensemble que si ce mouvement avait été maintes fois répété et se mit à courir.

Miville Laliberté, ne comprenant pas très bien ce qu'il filmait, refit sa mise au point sur le tireur isolé, qui changeait de chargeur et tirait encore quelques coups de feu.

Apparemment à court de munitions, le tireur se releva alors et s'éloigna sans arme, d'un pas tranquille, à peu près à mi-chemin entre les deux armées, là où l'herbe était le moins foulée.

Miville Laliberté cessa de filmer. Il avait la certitude que cette dernière scène — celle de l'homme qui s'éloignait d'un pas tranquille, entre deux armées en déroute — était la plus belle qu'il eût jamais tournée.

Au même moment, quelques figurants français, qui ne s'étaient pas hâtés de détaler, se rendirent compte que les

Anglais prenaient la fuite. Excités par le bruit et le désordre, ils se lancèrent à leur poursuite. Deux blessés et trois morts se relevèrent aussi, reprirent leur mousquet et les suivirent.

Seul le cameraman de l'hélicoptère fixa sur pellicule l'étrange déroute d'une armée de quatre mille hommes en rouge poursuivie par une douzaine d'ennemis en blanc.

***

Noël Robert avait quitté les lieux vers neuf heures, dès que Roch Marcoux lui eut affirmé qu'il avait été vu par un nombre suffisant de personnes pour qu'on ne soupçonnât plus le scénario de ne pas être son oeuvre.

Il était remonté dans la Mustang, avait baissé la capote et avait pris la direction de Montréal, sur l'autoroute de la rive nord. Il s'apprêtait à faire une halte à Trois-Rivières pour manger une bouchée lorsque la radio lui apprit le drame.

Il fit demi-tour. À Neuville, il passa près du champ de bataille sans s'arrêter. Il y avait là des dizaines d'ambulances et de voitures de police ainsi que quelques camions militaires au camouflage noir, brun et vert.

À Québec, il prit une chambre au Château Frontenac. Il téléphona à Saint-Denis pour annoncer à France qu'il ne rentrerait pas. Il n'y avait pas de réponse. Peut-être était-elle à Québec elle aussi ? Il essaya trois fois de joindre Roch Marcoux à son bureau. Mais la ligne était toujours occupée.

Il sortit dîner dans un restaurant bon marché où il reconnut à la télévision le visage de l'auteur du massacre. Il fut saisi d'une envie irrésistible de prendre un verre.

Il entra dans un piano-bar, alla s'asseoir sur un tabouret face au piano, en compagnie de quelques femmes et d'un seul homme. La chanteuse était spécialisée dans les vieilles mélodies sentimentales, que les autres jeunes femmes reprenaient en choeur avec elle.

Lorsque la pianiste fit une pause, les conversations tournèrent autour du massacre des plaines.

Noël Robert ne se mêla pas à la discussion. Il se contenta de boire en s'efforçant de ne réfléchir à rien. La pianiste revint, chanta *Mon pays* en l'honneur, dit-elle, des jeunes gens qui venaient de donner leur vie sur les plaines d'Abraham. Noël Robert tenta d'attirer l'attention d'une jeune femme qu'il espérait facile mais qui ne lui retourna pas ses oeillades.

Vers onze heures, oubliant sa chambre d'hôtel, il décida de rentrer chez lui par l'autoroute de la rive sud, la plus rapide. Il croisait rarement des voitures, en doublait parfois, ne se faisait jamais doubler.

En approchant de Drummondville, il jeta un coup d'oeil à l'indicateur de vitesse. Il roulait à cent trente-cinq kilomètres à l'heure. Pourtant, cela ne se sentait pas. Ni à l'air qui tourbillonnait autour de ses oreilles, ni au bruissement des pneus sur la chaussée, ni au ronronnement quasi silencieux du moteur. Il ralentit quand même un peu.

Il aperçut tout à coup dans le rétroviseur la lueur du gyrophare d'une voiture de police.

Il relâcha l'accélérateur, puis l'enfonça à fond. S'il se faisait prendre une deuxième fois, ses ennuis ne se limiteraient pas à une journée de prison. Le moteur de la Mustang se faisait entendre, maintenant. Dans le rétroviseur, il vit la voiture de police se faire de plus en plus petite. Il sourit.

Lorsqu'il se concentra de nouveau sur la route, il était trop tard. Il approchait à une vitesse folle d'un virage vers la droite. Il donna un coup de frein. La Mustang plongea dans la dénivellation centrale, puis s'envola en heurtant le côté gauche de la chaussée et se dirigea tout droit vers les arbres.

— C'est dommage, dit Noël Robert à haute voix, sans trop savoir à quoi il faisait allusion.

***

S'il y avait un appareil que Noël Robert détestait, c'était bien un ordinateur IBM. Non qu'il y connût grand-chose, puisqu'il n'aurait pu faire la différence entre un IBM véritable et une imitation d'IBM.

Mais cela n'empêchait pas IBM de représenter pour lui une foule de choses qu'il détestait, sans qu'il se fût jamais donné la peine de les énumérer.

C'est pourquoi, lorsqu'il se présenta devant saint Pierre et qu'il le vit aux commandes de ce qui ressemblait parfaitement à un IBM même si cela pouvait être tout autre chose, il ne put réprimer une grimace.

— Nom ? demanda saint Pierre sans lever les yeux de son écran.

— Noël Robert.

— Le prénom, c'est Robert ?

— Non. Noël.

Rapidement, les doigts de saint Pierre s'agitèrent sur le clavier.

— Ah, un Québécois ! fit-il en souriant obligeamment. Oh, oh ! ajouta-t-il après avoir claqué la langue.

— Il y a un problème ?

— Je vois une drôle d'histoire. Tu aurais convaincu un simple d'esprit de tuer vingt-trois de ses contemporains. C'est très gênant, tu sais.

— Qu'est-ce qui est gênant ?

— Le Christ aime beaucoup les Québécois. Vous lui faites penser au peuple juif sous l'occupation romaine. A priori, cela devrait t'aider. Mais c'est justement ce qui joue contre toi.

— Pourquoi ?

— Parce que les vingt-trois morts étaient aussi des Québécois.

— Mais ce n'est quand même pas moi qui les ai tués.

— Tu en es sûr ? Je vois ici que tu as convaincu quelqu'un de le faire à ta place.

— Je ne l'ai convaincu de rien. Je ne savais même pas ce qu'il voulait faire. J'ai seulement dit... Je ne sais plus trop ce que j'ai dit, mais cela ne voulait rien dire.

— Pourtant, tu t'es senti coupable en apprenant qu'il était un meurtrier.

— Qu'est-ce que ça prouve ? On se sent toujours coupable même quand on n'a rien fait.

— De toute façon, ce n'est pas moi qui décide. Je vois ici que tu dois passer cent ans au purgatoire.

— Si vous le dites.

Noël Robert se dirigea vers la porte marquée «Purgatoire». Il y avait là des tas de gens. Cela ressemblait à une conférence de presse, sauf que personne n'avait un verre à la main. Il tomba d'abord sur Roch Marcoux, qui l'accueillit cordialement, et il eut fort à faire pour se débarrasser de lui. Du coin de l'oeil, il reconnut Alice Knoll. Il chercha à la fuir, mais, sans qu'il sût comment, elle s'était retrouvée devant lui.

— Fâché ? demanda-t-elle.

Oui. Il s'écarta, pour tomber aussitôt sur Ray Blanchette. Et c'est là qu'il comprit : le purgatoire était un endroit où on rencontrait les gens qu'on détestait. C'était cent fois pire que de se passer d'alcool ou de manger de la merde à longueur de journée.

Justement, Roch Marcoux revenait vers lui. Noël Robert fit demi-tour, mais tomba sur — comment s'appelait-elle ? — le mannequin qui voulait faire du cinéma. Une nouvelle volte-face le plaça nez à nez avec Rachel, Monique et Micheline.

Il courut à travers la foule et se trouva face à face avec France.

Oui, c'était vrai qu'elle aussi il la détestait. Et peut-être avait-il mérité le purgatoire parce qu'il n'avait su aimer personne ?

— Tu m'entends ? demanda France.

Noël Robert reprit conscience. Il ouvrit les yeux. Il ne rêvait plus. Il était dans une chambre d'hôpital. France était penchée sur lui.

— Qu'est-ce que j'ai ? demanda-t-il.

— Beaucoup de chance, répondit France. La main gauche brisée. Trois côtes fêlées. Rien d'autre.

— Ah bon !

Il aurait répondu la même chose s'il avait été dix fois mieux ou dix fois plus mal en point.

Le 15 septembre

Comme tous les après-midi, Alexandre Anastase se pencha sur son palier pour ramasser *Le Devoir*. En ne lisant son journal qu'en fin de journée, il avait l'impression que les informations avaient eu le temps de se décanter, de retrouver une perspective plus juste que s'il en prenait connaissance dès son réveil.

De toute façon, les nouvelles fraîches n'étaient pas la spécialité du *Devoir*, et jamais il ne s'était fait voler son journal, contrairement aux autres occupants de l'immeuble, abonnés au *Journal de Québec*.

Avant même qu'il n'ait mis la main sur le journal, il eut le temps de lire le gros titre : «Massacre à Neuville». Ce n'était pas le genre du *Devoir*, ce titre, ni la grande photo qui l'accompagnait — des dizaines de soldats anglais du XVIIIe siècle couchés dans l'herbe.

Alexandre Anastase reconnut aussitôt le cliché, plus petit, de son voisin du dessus avec son béret de soldat. Mais il résista à la tentation de commencer à lire le journal entre son palier et son XXe siècle. Il le replia soigneusement, le glissa sous son bras et marcha de son pas habituel jusqu'à la table de la cuisine, où il le déploya. Il s'assura de la position de ses lunettes et se mit à lire.

Quand il eut terminé, il referma le journal et entra au XVIIIe siècle. Sous son lit, une pile de bouquins, à peine moins haute que les autres, attendait. *Le Devoir* plié en quatre s'y glissa aisément.

Il s'assit sur son lit pour l'aplatir un peu plus. Ce n'était plus un journal, maintenant. C'était un document qui prouvait qu'il était enfin entré dans l'histoire, même si son nom n'y était aucunement mentionné.

***

Un agent tint la porte ouverte tandis que Gerry Tousignant, maladroit sur ses béquilles toutes neuves, s'avançait dans la salle réservée aux interrogatoires.

— Tu me reconnais ? demanda-t-il en s'asseyant devant Gaston McAndrew.

— Oui, vous étiez venu à la citadelle.

— Bon.

Gerry Tousignant jeta un coup d'oeil à la caméra placée au plafond, dans un coin. Il leva la jambe et posa son plâtre sur une chaise. Il vit que Gaston McAndrew avait remarqué les punaises rouges plantées dans le plâtre tout blanc. Il eut envie de lui expliquer que c'étaient des collègues... mais ç'aurait été trop long, et ce n'était pas important.

— Tu sais que tu m'as causé beaucoup d'ennuis ? commença-t-il.

Gaston McAndrew se méprit, crut qu'il parlait de sa jambe.

— C'est moi qui...

— Oh, non, c'est pas ça. C'est bien pire.

Il se tut, regarda un instant le visage d'enfant tout rose, presque imberbe.

— Si seulement j'avais pu me douter que c'était toi, ça nous aurait évité bien des problèmes, à tous les deux.

Il hochait la tête, espérant que l'autre ferait un commentaire. Rien.

— Écoute, je vais être franc avec toi.

Il n'avait pas du tout l'intention d'être franc. Il avait supplié qu'on le laissât interroger le prisonnier pendant quelques instants, sous prétexte qu'il le connaissait déjà et dans l'espoir que, s'il réussissait à lui soutirer des renseignements sur des complices, cela annulerait les mesures disciplinaires qui l'attendaient.

— Y a des journalistes qui commencent à dire que c'est l'armée qui t'a envoyé.

— Ça a pas de bon sens.

— Pas nécessairement ton colonel, mais peut-être un sergent, un ami, n'importe qui...

— Non.

Le beau visage se fermait.

— Tu vas pas me dire que si tu avais pas été dans l'armée, t'aurais fait ça pareil ?

Gaston McAndrew sourit.

— J'aurais pas pu voler le FN.

— C'est pas ce que je veux dire. Y a peut-être des choses qui se sont passées dans l'armée, qui auraient pu te faire faire ça ?

Le jeune homme leva les yeux vers le plafond, pour réfléchir.

— Non, je pense pas.

— Même en dehors de l'armée, y a peut-être du monde qui t'a dit de faire des choses ?

— De faire quoi ?

Gerry Tousignant dut se retenir. Ce petit emmerdeur qui jouait les innocents commençait à lui taper sur les nerfs. Comment les autres policiers avaient-ils pu se retenir de le frapper ? Seule la peur des médias pouvait expliquer qu'il n'eût pas le visage couvert d'ecchymoses.

— De tirer des vraies balles, dit-il d'une voix déjà lasse.

— C'est parce que j'en avais.

— Tu as peut-être lu des livres, des journaux, quelque chose qui t'aurait donné des idées ?

— Non. Je lis presque jamais. Tout ce que je lis, c'est des livres sur les armes.

— Tiens, paraît que tu étais avec les Anglais au commencement, puis qu'après tu es passé chez les Français.

— Le premier jour, ils ont pas pu me prendre dans les Anglais.

— Mais qu'est-ce qui t'a fait changer d'idée ? Paraît que tu aurais pu redevenir anglais. C'est toi qui as pas voulu.

Le jeune homme hésita. Gerry Tousignant crut tenir un bon filon.

— Je me suis aperçu que c'était pas ça qui était important.

— Ah ? Qu'est-ce qui était important ?

— Je me suis aperçu que ce qui comptait, c'était pas d'être un Français ou un Anglais.

— Explique-moi donc ça.

— Je suis pas capable.

— Pourtant, tu savais que presque tous les figurants étaient francophones, d'un côté comme de l'autre ?

— Oui.

— Tu voulais pas vraiment tuer des Anglais ?

— Je sais pas. C'était du cinéma.

— Qu'est-ce que tu veux dire ?

— C'étaient des Anglais de cinéma.

— Oui, mais tu tirais des vraies balles.

— C'est comme ça que ça devrait être, du vrai cinéma.

La porte s'ouvrit derrière Gerry Tousignant. La tête d'un agent apparut.

— Ça suffit. Y a rien à en tirer de plus.

Gerry Tousignant remit au sol sa jambe plâtrée, se releva péniblement sur ses béquilles et se dirigea vers la porte.

— Bonne chance, dit-il avant qu'elle ne se referme sur lui.

Gaston McAndrew lui fit un beau sourire.

Noël Robert n'avait passé que deux jours à l'hôpital. Depuis, il s'ennuyait — quand France était là comme lorsqu'elle était absente. Il finit par se convaincre qu'il était temps de téléphoner à Ray Blanchette.

— Monsieur Blanchette ?

— Oui ?

— Noël Robert.

— Ah ! Comment ça va ?

— Pas trop mal, vu les circonstances.

— Ouais. C'est effrayant.

— En fait, Alice Knoll et moi, on avait déjà démissionné du scénario. J'ai même failli vous téléphoner au début de septembre. Mais je ne me sentais pas tellement bien.

— Me téléphoner ? Pourquoi ?

— Pour vous annoncer que je reprends mon poste.

— Sérieusement ?

— Oui.

— Ouais.

— Il y a un problème ?

— Qu'est-ce que je t'avais dit, au juste, l'année passée ?

— Que vous me gardiez mon poste parce que Blanchette et Woodsman étaient flattés que je travaille à un film prestigieux.

— J'avais pas dit qu'on te gardait ton poste pour un an ?

— Je ne me souviens pas. Mais c'est possible.

— Ça fait un an et demi. Y a fallu que je te remplace par un employé permanent.

— Je comprends.

— Puis, à part ça, le prestige, y a pas mal pris le bord, l'autre jour.

— Je n'y suis pour rien.

— N'empêche que tous nos clients savent que tu étais sur ce film-là. Ça serait gênant de leur dire qu'on t'a repris, tu comprends ?

— Je comprends.

— Mais je suis sûr que tu pourrais te placer ailleurs sans difficulté. Je peux donner ton nom à tout le monde que je connais.

— Merci, ce n'est pas la peine.

— Puis on va te donner deux mois de salaire comme prime de séparation.

— Vous êtes trop bon.

— Tu sais, des employés comme toi, on en a pas eu beaucoup.

***

France était dans le living-room, le nez plongé dans un livre.

— Et puis, quand recommences-tu ? demanda-t-elle en levant le nez de sa lecture.

— Je suis congédié.

— Tu veux dire qu'ils te reprendront pas ?

— Non. Il paraît que ce serait mauvais pour l'image de la compagnie.

— C'est pas bien grave. Avec mon salaire, on peut tenir le coup.

Noël Robert haussa les épaules, sans même savoir ce que signifiait son haussement d'épaules. Il avait envie de dire à France : «Je m'en vais, c'est fini entre nous.» Mais il n'était pas sûr d'en avoir le courage.

Dans son bureau, Noël Robert passait ses journées à regarder le Richelieu. Depuis une semaine, il avait décidé d'attendre le gel de la rivière. Dès que la glace serait assez prise pour soutenir son poids, il prendrait une caisse de bière et une chaise pliante. Si la glace ne se brisait pas avant qu'il atteigne le milieu de la rivière, il s'installerait et patienterait. Jusqu'au printemps, si nécessaire.

Il caressait cette idée comme on entretient un rêve lointain, sans y croire vraiment. Chaque matin, lorsqu'il montait à son bureau, il lui consacrait de longues heures.

Ce matin-là, France était à Québec. Le téléphone sonna. Il se dit que c'était sûrement pour elle. Et il ne répondit pas. Mais le téléphone insista. Il se mit à compter les coups de sonnerie après six — en tout cas, il lui semblait qu'il y en avait déjà eu six lorsqu'il se mit à les compter.

Après ce qui pouvait être le dixième, il se leva. Il décrocha au milieu du douzième.

C'était Roch Marcoux. Étonnamment cordial.

— As-tu lu ce que disent les journaux au sujet du film ? demanda-t-il après les salutations.

— Non. Tout est à l'eau ?

— Le film sur la bataille des plaines d'Abraham est à l'eau, en tout cas. Tu sais combien ça a coûté, les deux journées de tournage ?

— Pas la moindre idée.

— Onze millions, si on compte tout ce qu'on a investi depuis le début.

— C'est beaucoup d'argent.

— Sais-tu combien j'ai payé pour racheter toute la pellicule ?

— Pas la moindre idée.

— Un dollar. Pas une mautadite cenne de plus. Cinéma Canada et la S.Q.I.C. ne veulent plus rien savoir de la production.

— Je les comprends.

— Je me suis juste engagé à régler seul toutes les poursuites.

— Vous risquez gros.

— Pas tellement. D'après mon avocat, c'est les Forces armées qui vont être dans le trou. C'est un de leurs soldats, avec un de leurs fusils, qui a fait les dégâts. C'est quand même pas mes gars avec mes caméras.

— Ça se défend peut-être.

— Puis là, on repart avec un autre film.

— Un autre film ?

— Tout ce qu'il me manque, c'est un bon scénario. C'est pour ça que j'ai pensé à toi.

— À moi ? Je pensais que vous n'aimiez pas ce que je faisais.

— J'adorais ça. C'est cette mautadite folle d'Alice Knoll. J'aurais dû le savoir. Quand on travaille avec des Anglais, on se fait toujours avoir. Tant qu'ils pensent que c'est eux autres qui mènent, ils nous laissent faire. Mais dès qu'ils ont l'impression qu'on est en train d'être meilleurs qu'eux autres, y a rien à faire, ils essayent de nous fourrer. Ça m'est arrivé souvent.

— Vous ne pouvez quand même pas faire un film sur les Français qui gagnent la bataille des plaines d'Abraham ?

— Non. Mais avec un peu d'imagination, tu pourrais me sortir un scénario qui se terminerait par des Anglais qui perdent une grosse bataille.

— Je vois mal...

— Je sais pas... Tiens, par exemple, l'année d'après, Lévis a battu les Anglais sur les plaines d'Abraham.

— Oui, mais...

— Tu peux me sortir quelque chose avec ça, non ? C'est les mêmes armées, à la même place...

— Ça serait difficile. À la bataille de Sainte-Foy, c'étaient les Anglais qui avaient le dos à Québec, pas les Français.

— On a juste à jamais montrer le décor de Québec en arrière. Y a pas une image sur cent où on le voit.

— C'est pas seulement Québec. Y a aussi le fleuve qui est du mauvais côté.

— Je sais pas, moi. Ça a même pas besoin d'être les plaines d'Abraham. Ça pourrait être une bataille en Europe. Les Français puis les Anglais, ils se battaient partout, dans ce temps-là.

— Ouais.

— Puis ça a même pas besoin d'être une vraie guerre. Tu peux romancer ça comme tu veux. Tout ce que je sais, c'est que j'ai pour rien des mautadites belles scènes de bataille avec des uniformes blancs puis des uniformes rouges. Trouve-moi une belle histoire qui va tourner autour de ça, puis je vas être content.

— Je vais y penser.

— Je vais te faire envoyer les rushes. Sur cassette VHS, ça te va ?

— Oui.

— Tiens, ton idée de... comment est-ce qu'il s'appelle déjà, l'explorateur, le Français...

— Bougainville ?

— Oui. J'aimais ça en mautadit. Peut-être que tu pourrais te servir de ça. Je sais pas, moi, Bougainville qui rencontre Cook à Tahiti puis qui lui explique comment la bataille aurait pu se passer si ça avait été lui à la place de Montcalm.

— Ça me semble tiré par les cheveux.

— C'est ça, le cinéma. Tout ce que je veux dire, c'est qu'y a moyen de trouver quelque chose à faire avec ce qu'on a tourné. Puis je suis convaincu que c'est toi le meilleur homme pour le trouver. Es-tu toujours en sabbatique ?

— C'est-à-dire que... oui, on peut dire que je suis encore en sabbatique.

— Bon. Vas-y, sors-moi quelque chose à ton goût. Tout ce que je veux, c'est que ce soient les Français qui gagnent.

Y a juste un problème : il faut pas montrer les scènes du soldat fou ou des gros plans des figurants qui se font tuer. D'après mon avocat, on aurait des mautadites poursuites si une mère de famille pouvait reconnaître son fils en train de mourir...

— Y aurait peut-être une autre possibilité.

— Laquelle ?

— On pourrait faire un film au sujet de gens qui préparent un film sur les plaines d'Abraham. Les scènes de la bataille deviendraient des vraies scènes du film qu'ils essaient de tourner. Vous voyez ce que je veux dire ?

— Quelque chose comme *Dallas*, mais dans le milieu du cinéma ?

— Je n'ai pas dit ça.

— C'est pas bête. Le cinéma, ça intéresse le public au moins autant que le pétrole ou la haute finance.

— Je suppose.

— Ça prendrait une bonne histoire d'amour, là-dedans. Qu'est-ce que tu dirais si les deux scénaristes tombaient en amour ?

Noël Robert raccrocha.

FIN